SANGLIER NOIR
PIVOINES ROSES

GAËLLE HEUREUX

SANGLIER NOIR PIVOINES ROSES

Nouvelles

LA TABLE RONDE
26, rue de Condé, Paris 6^{e}

ISBN 978-2-7103-7045-1.

www.editionslatableronde.fr

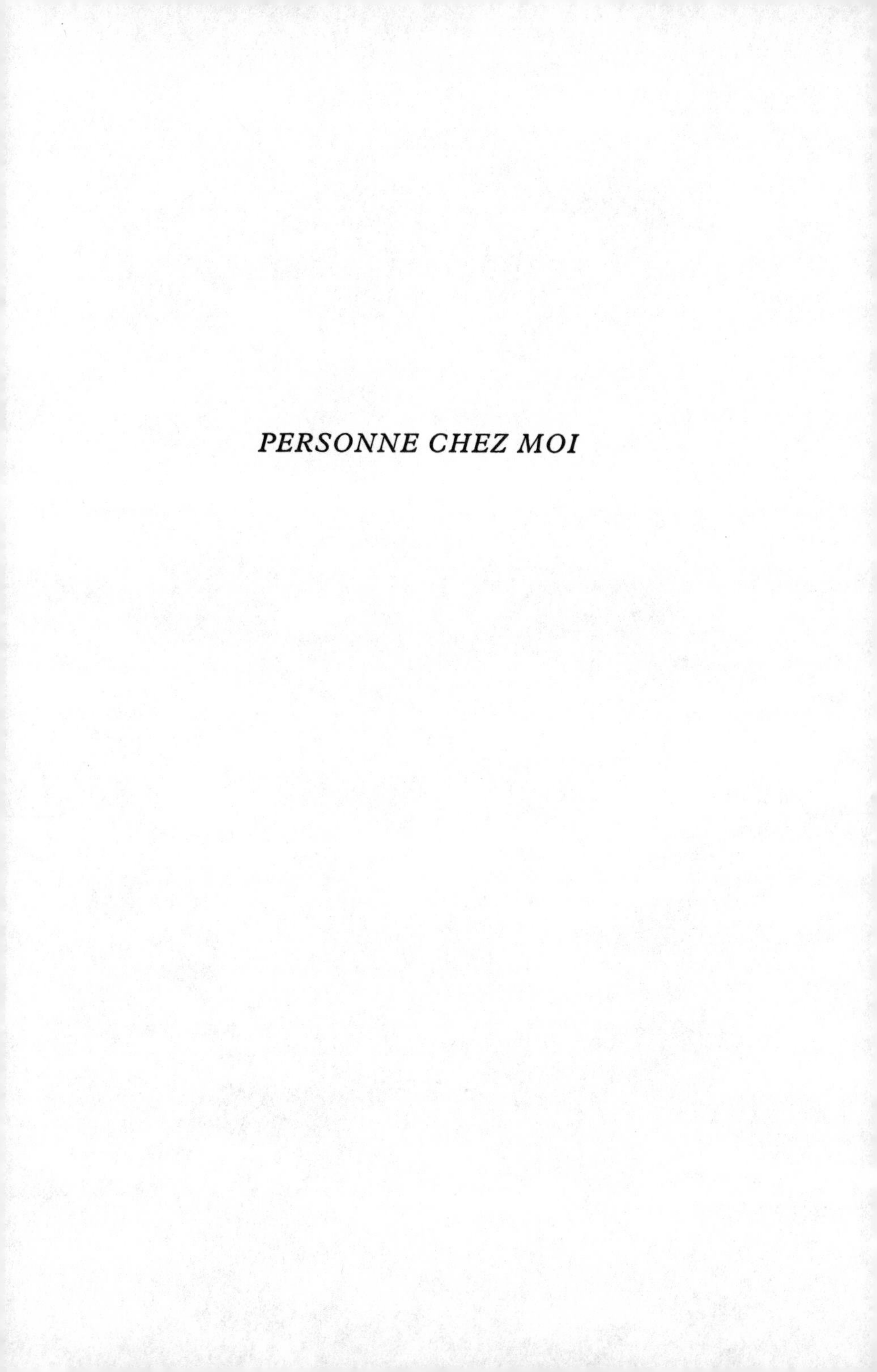

PERSONNE CHEZ MOI

Ma mère avait toujours dit qu'il arriverait un accident à cause de cette foutue bête. C'était mort, empaillé, planté dans le mur, obstinément immobile, à prendre le sale et à nous regarder de travers. Ça la faisait râler tous les mardis. Ce jour-là, elle y passait un coup de chiffon, en même temps qu'elle époussetait la bibliothèque de faux livres, la vitrine des chiens en porcelaine et la collection de porte-clés à l'étage. Elle disait : « J'vais donner un coup sur la tête du cochon à ton père. » En réalité, un sanglier de cent trois kilos à l'origine. Ma mère n'avait guère le souci du détail. Le taxidermiste, non plus. Le groin pendait, lamentable, conférant à la bête un air de pachyderme. Les pieds montés sur des socles étaient plus réussis. Ils servaient de portemanteaux dans l'entrée. « La tête du cochon à mon père » était monstrueuse, mais je n'en avais pas peur, au contraire. Quand j'étais petit, Barny (c'est ainsi que je l'appelais) me rassurait. Depuis son arrivée, je dormais le nez en dehors des couvertures, certain qu'aucun malfaiteur n'oserait passer devant pareille horreur. Barny dans le noir, éclairé par le seul faisceau jaune d'une lampe torche, il ne devait rien exister de pire. J'étais tranquille, Barny veillait.

Le matin, en guise de remerciement, je montais sur la chaise de mon père déposer des glands sur sa langue. Ma mère les enlevait le mardi en m'engueulant, ou bien ils tombaient tout seuls et je me faisais engueuler un autre jour de la semaine. Je continuais, malgré sa désapprobation, à nourrir Barny. La sécurité n'avait pas de prix et j'étais du genre reconnaissant.

Mon père disait l'avoir abattu en 1977 aux environs de la D 1604, un matin d'avril. J'appris plus tard qu'il l'avait heurté avec sa 4 L alors qu'il revenait bredouille d'une battue. Le taxidermiste avait vendu la mèche. Je ne fus pas déçu pour autant. Barny restait Barny. Mon père restait mon père : 1,61 mètre de hargne.

Nous habitions une ancienne maison de garde-barrière. J'aimais les fenêtres encadrées de briques, les losanges découpés dans le bois des volets, je trouvais que ça donnait un style. Les trains ne circulaient plus depuis longtemps. Mon père utilisait la verrière, où demeuraient les manivelles du passage à niveau, pour entreposer son matériel de chasse.

Avant l'accident, mon frère et moi rappliquions chaque dimanche pour le déjeuner. Nous prenions l'apéritif à la cuisine : mousseux et mini-saucisses. Ensuite, nous passions à la salle à manger : pâté de lapin, viande, gratin. L'après-midi, on jouait tous les deux au basket dans la cour. On était bien. Marquer des paniers nous emplissait d'un bonheur simple. Il fallait seulement supporter les parents à table : « Ton gratin a fait l'eau. Tu devrais t'essuyer la bouche. Là. Non pas là ! Là ! Ben j'ai mis la même chose que d'habitude. Alors c'est le four. Mais y a pas d'eau ! Qu'est-ce que tu racontes ? Si. Non. Si. T'as qu'à le faire toi-même ! Je peux pas être partout à la fois, hein. Au four et au moulin ! Et pis t'en as mis partout sur ta chaise, Jean ! Là. Comme les gosses. Essuie-toi ! Tu en as là. Non, là, j'te dis. »

Au dessert, ma mère racontait les derniers faits-divers : une gamine avait mis la main dans le hachoir de la charcuterie familiale, une femme avait lancé son bébé du 6e étage, un cueilleur de champignons avait reçu une balle dans la tête, une telle avait disparu ou avait été retrouvée noyée, ou découpée. Suivait la litanie des maladies : le Fernand avait les reins qui lâchaient, le Raymond s'était réveillé paralysé d'un côté et Gisèle avait du sang dans les selles. Toute la misère du monde tombait dans nos assiettes en même temps que la compote de pommes qui accompagnait invariablement la tarte maison.

Mon père avait lui aussi des soucis de santé, du mal à dormir, du mal à pisser. La colère montait vite. « Qu'est-ce qu'il y a encore et où tu vas ? T'es pressée ? On a le temps, non ? Faut toujours que tu te presses ! Oh et pis t'en racontes des choses, hein ! Qu'est-ce que t'en sais, toi ? Rien. T'as toujours un avis sur tout, toi. On peut rien te dire, toi. » De rage, il lui arrivait de taper dans la cloison en proférant : « Nom de Dieu ! »

C'est un dimanche de juin que la fixation a cédé sous la multitude des coups reçus depuis 1977 – coups de chiffon et coups dans la cloison. Nous en étions au café. Barny est tombé droit sur la tête de mon père. Cris de ma mère. Cris de mon frère. Coulée de sang sur les tempes. Trépanation. La pointe de l'écusson s'était plantée comme une pique à saucisses dans son crâne dégarni. « Je te dis qu'il a… » furent ses derniers mots. J'ai trouvé ça court. J'aurais voulu lui en souffler d'autres, des qui font bien pour la fin, des mots comme « je ne regrette rien » ou « je t'ai tant aimée, Martha », des mots qui auraient jailli comme des poissons dorés du bac de vaisselle grasse, qui auraient rempli les livres creux de la bibliothèque, fait se barrer les porte-clés publicitaires et hurler à la mort les chiens en porcelaine. Mais personne chez moi n'était poète.

Nous sommes loin aujourd'hui. Je travaille comme concierge dans un hôtel en Belgique. Mon frère vend des luminaires à Londres. Ma mère continue de passer le chiffon le mardi. Un peu de tricot. Ses porte-clés. Elle a fait réparer la cloison, avant de raccrocher Barny.

IMPASSE CONJUGALE TOTALE

Le chat passe et repasse le long des mûriers, derrière le grillage. C'est un chat errant. D'habitude, il se sauve en me voyant dans le jardin. Il disparaît derrière la haie. Je ne cherche pas à le retenir. Je ne fais pas de bruits avec ma bouche pour l'attirer. Je ne dis pas : « Minou minou minou » les mains sur les genoux. Je ne fais rien de tout cela. Je le nourris, mais seulement de temps en temps.

Ce matin, il est venu se frotter contre le bas de mon pantalon. Il s'est roulé devant moi. Il a posé sa tête sur mes pieds. Curieux. Il devait avoir un problème. Je ne sais pas. Je n'aime pas les chats. Il enfouissait sa tête dans mes pantoufles mouillées par la rosée et moi je restais de marbre, piqué sur mes jambes, gêné, je levais un pied puis l'autre. J'avais la danse de Saint-Guy. Je lui disais de s'en aller : « Hep, le chat, va-t'en, allez va-t'en, barre-toi. » Mais il ne s'en allait pas. Un malentendu s'était glissé entre nous. C'est comme ça que je lui ai dit, « un malentendu ». Je le nourrissais, d'accord, mais je ne l'aimais pas. Jamais je ne le caresserais, même pas du bout de l'index entre les deux yeux. Fallait pas y compter.

Je n'aime pas les chats. J'ai mes raisons. Avec le gouvernement qu'on a depuis trois ans, on ne sait pas ce qui nous attend, on n'est à l'abri de rien, il se peut qu'on ait une guerre, et si c'est la guerre, il se peut que je n'aie plus de quoi me nourrir, que je sois contraint de manger n'importe quoi, jusqu'à la queue des rats. Fatalement, j'en viendrais à loucher sur lui, le chat. Comment le caresser, sachant que je le mangerai demain, en fait bien avant les rats ?

Avec le gouvernement qu'on a, on n'est sûr de rien, il se peut que je meure comme un miséreux, chez moi, parce que je n'aurai pas eu de quoi payer l'hôpital, il se peut que ma femme meure avant moi, faute de soins (il est des femmes qui, si on ne les déleste pas de leur appareil reproducteur, à un certain âge, expirent).

Si je meurs seul dans ma chambre, sans ma femme, comme un loup solitaire, et que le chat dehors ne trouve plus sa pâtée, je sais qu'il entrera chez moi, qu'il poussera la porte ou le volet mal accroché, qu'il avancera jusqu'à ma descente de lit, qu'il grimpera sur mes draps, leste et famélique, qu'il me mangera. Peut-être en compagnie des chats du quartier. Alors, comment lui accorder ma confiance ? Non, je ne l'aime pas. Nous sommes deux prédateurs qu'un léger dérèglement de nos existences ferait basculer cannibales, dîneurs de l'autre, soupeurs de ses liqueurs. Je préfère garder mes distances. D'autant qu'avec le gouvernement qu'on a, on n'est sûr de rien. Je n'aurai peut-être bientôt plus les moyens d'acheter des sacs de croquettes. Il devra chasser les oiseaux et les mulots qu'il déchiquettera encore vifs sous ses griffes. Cet animal est infréquentable, si je lui verse parfois sa pitance dans une assiette creuse, c'est par pure charité.

Au fond du jardin, il y a aussi une femme qui étend le linge. Je la regarde choisir la pince en fonction de la couleur du vêtement qu'elle s'apprête à suspendre à la corde : chemisier vert, pinces vertes ; pantalon gris, pinces grises ; drap bleu, pinces bleues. Je l'observe, son tablier plaqué sur ses jambes maigres. Ses cheveux empesés s'agitent autour de son visage et viennent lui barrer le nez. N'empêche, elle coordonne : serviette blanche, pinces blanches.

— Ce qu'il y a comme vent aujourd'hui ! lance-t-elle à mon approche.

— Ah bon, tu trouves ?

Nous sommes en automne, même la météo est un sujet de discorde. Surtout la météo. Mais je suis vieux et les ICT (Impasses Conjugales Totales) ne m'excitent plus. Je passe mon chemin. Je remonte à la maison enfiler des pantoufles sèches. Puis je descends l'escalier intérieur en ciment, que nous n'avons jamais pris le temps de peindre ni de carreler, qui est brut, qui tourne sans même une rampe sur laquelle faire glisser la main. Nous sommes habitués. Je me tiens au mur gris. Je traverse la buanderie dans laquelle ma femme fait sécher le linge l'hiver, ou quand il pleut. Je baisse la tête sous les cordages puis je pousse une porte en verre dépoli. J'entre dans mon atelier. Ici, je réalise des maquettes de bateaux en allumettes, principalement des voiliers. J'en ai quarante, posées sur des étagères. Ce sont de petites maquettes, modestes. Je ne suis pas d'un naturel très patient.

Quand je colle mes allumettes, je pense à la mer. Je vois les vagues déferler sur les rochers au pied des falaises, l'écume blanche et mousseuse à leur crête, leur perpétuel roulis. Une vague égale une allumette. Une allumette égale une vague. Je sens l'odeur de la pluie, du dehors, de la tempête. Entre ces deux fenêtres, entre ces deux radiateurs remplis d'eau tiède, au son des gargouillis des tuyaux et du tic-tac de la pendule, dans mon ancien bureau d'expert-comptable, là où je remplissais des colonnes de chiffres, ici même, j'imagine la mer. Une allumette égale une vague. Une allumette égale une vague. Je suis heureux de ne rien faire d'autre que de coller des bouts de bois les uns contre les autres. Je crée.

Cependant, depuis quelque temps, je constate la disparition de mes voiliers. À l'heure où je vous parle, ma production ne compense plus mes pertes. Mes voiliers s'évaporent. La pièce se vide inexorablement. Et je ne trouve pas l'ouverture, le trou par où tout ça s'échappe. Mes voiliers s'envolent, par le toit, par une fente ? Mes voiliers s'envolent. Et je perds le sens des vagues. Je perds l'air marin, le sel des choses, la cadence. Je suis fatigué. Quelqu'un les fait-il brûler quelque part sous un hangar, dans une cheminée ?

— J'ai compté. Il en manque sept. Je sais que c'est toi qui les jettes.

Ma femme lève les yeux de sa grille de mots croisés. Sa mèche est bien en place, fixée par la laque qu'elle vaporise le matin en exécutant d'amples mouvements circulaires autour de sa tête pointue.

— Ils me gênent quand je fais la poussière, tes rafiots en mikado.

La colère monte. Elle m'empêche de respirer normalement. Je sens, c'est étrange, comme du coton envahir ma poitrine. J'explose.

— J'irai cracher sur tes timbres, Annick ! Cette nuit ! Sur tes plus beaux. Cuba ! San Marino !

Les joues de ma femme sont devenues cramoisies, mais sa mèche n'a pas bougé d'un poil. Elle a vieilli, elle aussi. Les ICT ne la font plus vibrer comme avant. Elle replonge tête baissée dans ses mots croisés. Tout le rouge de ses joues s'est retiré. Elle attaque une nouvelle grille. Je préfère sortir, marcher dans le jardin, ramasser les dernières pommes, quelques feuilles d'oseille pour la soupe. Le chat n'est pas là. Je ne le vois pas. Pas de chat. Je jette un coup d'œil derrière les mûriers pour vérifier. Rien. Personne. Il n'a pas l'air d'avoir touché à son assiette non plus. Une colonne de fourmis traverse les croquettes. Un mulot court sur les branches du lilas. Mais pas de chat. « Minou minou minou… »

Je rentre. J'ai des allumettes à coller. Des tas d'allumettes. Des tas. D'allumettes. Et pas de chat. Je n'aime pas les chats. J'ai de très bonnes raisons pour ça, précises et gouvernementales.

LES AVALEURS DE VIOLONCELLE

Quand j'allais la voir accompagné seulement de ma mère, j'avais droit à une chaise. Je m'installais près du lit et je la regardais, l'ancêtre, comme on regarde une momie. Elle avait toujours les yeux mouillés de larmes, pas celles des enfants qui tombent dans les cailloux ni celles du malheur, non, des larmes spéciales, perpétuelles, de celles que fabriquent les très vieux et les très vieilles. La peau sous ses yeux était si fine, de la pâte humaine translucide, ratatinée, dénutrie. Et ça coulait tout autour. Lorsqu'on la mettait assise, les jours où l'infirmière annonçait triomphalement : « Aujourd'hui, on va vous mettre un peu assise, madame Goiffon ! », elle se passait les pouces sur les joues. Couchée, elle ne s'essuyait plus. Elle laissait couler. Ses iris étaient hauts. Ils découvraient beaucoup de blanc en dessous. Ils rouleraient bientôt sous ses paupières. Depuis le temps que son âme s'apprêtait à lever le camp, que l'usure organique œuvrait souterrainement dans chacune de ses cellules, ça finirait bien par céder, par lâcher, les ficelles casseraient, ses yeux se révulseraient, plus rien ne tiendrait. Elle serait morte.

Lorsque ma tante venait avec nous, je restais debout. Les deux chaises visiteurs étaient occupées. Je me postais sous le bras articulé de la télé, près du radiateur. L'ancêtre m'adressait parfois un sourire entendu, timide et profond. Aussitôt, je la classais dans la colonne des « avaleurs de violoncelles », distinction la plus noble réservée aux personnes qui me semblaient encombrées d'un tel instrument dans la tripaille. J'avais déjà à l'époque la sale manie de cataloguer les gens. Cette activité prenait la forme d'une série de colonnes dans mes cahiers, la plupart aux intitulés impitoyables. Je lui rendais son sourire, mais je restais à ma place, sous la télé, pendant que ma mère discutait ou qu'elle parcourait les magazines cornés de la salle d'attente.

J'avais onze ans. Hildegarde, c'est ainsi que s'appelait mon arrière-grand-mère, Hildegarde attendait la mort, allongée sur un lit blanc, les jambes recouvertes d'un drap marqué à l'adresse du centre hospitalier, entourée de tout un matériel médical, de tuyaux, de plastique, de métal : poche, potence, cathéter… Le radiateur était froid. Nous étions au printemps. Ma mère avait apporté des jonquilles qu'elle avait posées sur la table contre le mur, là où on met les fleurs dans les hôpitaux. J'écrivais déjà dans des cahiers (mais je n'avais rien lu ou presque). Je rêvais en marchant sur les trottoirs de ma ville, comme d'autres.

Hildegarde ne mourait pas. L'exercice se révélait

plus difficile qu'on aurait pu le croire. Mourir dans un délai raisonnable n'est pas donné à tout le monde. Ni mourir à coup sûr. Elle avait été déclarée décédée puis son cœur était reparti, sans que cela puisse être qualifié de miraculeux. Le médecin nous l'avait expliqué, les faux départs, ça arrivait, la frontière n'était pas si nette. N'empêche que ma mère et ma tante s'étaient crues libérées de la contrainte des visites et qu'elles avaient dû revenir. La famille, c'était sacré, une centenaire doublement, la mère de leur mère. Mais quand même, c'était pas pratique pour la boutique et les horaires de bus n'arrangeaient rien.

Un après-midi que nous lui faisions une dernière visite avant plusieurs semaines (nous ne reviendrions pas de l'été), je restai seul avec elle. Ma mère était sortie à cause « de l'odeur du lit ». Hildegarde pleurait. Ses yeux pleuraient. Je me suis levé pour baisser les volets roulants, pensant que la lumière était trop vive. J'avais vu ma tante le faire plusieurs fois. Puis j'ai regagné mon poste d'observation. Les iris de l'ancêtre étaient d'une fixité anormale, plus hauts qu'à l'accoutumée, situés à environ trois millimètres de ses paupières inférieures. Sa bouche était entrouverte, accentuant la proéminence de son menton. Ça ne coulait plus autour de ses yeux. Enfin, presque plus. Je ne sais pas pourquoi j'ai repensé à l'histoire du canard sans tête qui continue de courir. C'est Benoît qui me l'avait racontée sur le chemin en rentrant de l'école. Le lendemain, on en avait parlé aux autres à la récréation. Benoît avait expliqué le phénomène pendant que je faisais bêtement des allers-retours en me dandinant. Une petite troupe s'était formée autour de nous sous le préau. D'habitude, Benoît et moi, on n'intéressait personne. L'histoire du canard décapité, battant des ailes comme un possédé avant de s'effondrer dans la boue, cette histoire avait fait sensation. Nous avions capté l'attention des autres, fait rarissime qui durant quelques jours nous avait conféré un semblant de popularité (vite retombée quand cet abruti de Jérémy avait raconté par le menu comment il torturait les poussins de son oncle).

Hildegarde était morte. J'ai pensé, « il était temps ». Elle n'avait plus que la chemise d'hôpital sur les os, nouée à deux endroits par un lacet bleu, à hauteur de sa nuque et au milieu de son dos. J'ai posé ma main près de la sienne. Je n'ai pas osé la toucher à cause des veines protubérantes qui la parcouraient. Ma mère est revenue avec une pile de magazines. Elle les a laissés sur la table à côté des jonquilles. Elle m'a regardé, puis s'est approchée d'Hildegarde, du même pas solennel qu'elle a le dimanche à l'église quand elle s'avance pour recevoir sur sa langue le corps du Christ. Elle s'est penchée sur le lit et a sonné. L'infirmière est arrivée avec ses sabots en plastique piqués de petits trous pour l'aération, sa blouse à moitié ouverte, ses cheveux raides ramassés en queue-de-cheval, et son air d'avoir les yeux en permanence en face des trous, son air d'être là, à sa place, indémontable. Deux médecins sont venus confirmer que Mme Goiffon avait bien passé la rampe, puis on nous a fait sortir. Ma mère a signé des papiers et on a pris le bus de 16 heures. Elle est retournée à sa boutique. Moi, à mes cahiers.

Quand j'ai eu douze ans, ma mère m'a donné la permission de sortir du quartier. Ce qui signifiait que je pouvais m'aventurer au-delà de la rivière qui bordait notre immeuble. J'adorais marcher. Souvent, le samedi, j'allais au cimetière rendre visite à Hildegarde. Je m'agenouillais sur sa tombe. Il y avait des trous dans les coins. Quatre trous. J'explorais minutieusement chacun d'eux dans l'espoir d'apercevoir un morceau d'elle, ses pieds ou sa tête, une main, une partie qui aurait dépassé, aurait refusé d'être enfermée, une partie qui ne se serait pas pliée, qui aurait persisté dans ce monde. Je cherchais le pont entre les rives. Mais je ne le trouvais pas. Les trous n'étaient pas là pour qu'on voie le défunt. Il n'existait pas de pont. Une fois parti, on ne revenait pas, et personne ne voyait plus notre corps. La mort se résumait à un cul-de-sac terreux.

Sur la pierre tombale, il y avait sa photo. Je reconnaissais son nez, fort comme la voile d'un bateau fier, mais pas ses yeux. Elle ne souriait pas. Ses cheveux étaient noirs, tirés en un épais chignon, ses iris à bonne hauteur, dans l'axe. Elle portait un chemisier crème en dentelle. Son menton était un peu large, légèrement prognathe. Hildegarde n'était pas une jolie femme.

Au printemps, j'apportais des jonquilles. Je prenais soin d'envelopper les tiges dans du papier journal humidifié. J'emportais un pot de confiture vide en guise de vase, une lampe de poche et un bâton pour gratter dans les trous. Au fil de mes visites, j'étendais le périmètre de mes recherches au proche voisinage. J'explorai la tombe de Solange Prèle, décédée le 14 juillet 1940, celle de Léon Paulpiquet mort en 1917, celle de Georgette et Germaine Prudes, décédées le 20 septembre 1954. Regrets éternels. Je n'y décelai rien. Je n'avais pas plus de succès avec les caveaux. Celui de la famille Bouilloux présentait pourtant des fissures prometteuses, celui des Simoni était ouvert (j'avais accès à un petit autel sur lequel étaient posés un missel en état de décomposition avancée, une statue de la Vierge et des fleurs séchées). Chaque samedi, j'allais ainsi de déception en déception.

Puis un jour j'ai eu quinze ans. Je n'ai plus apporté de jonquilles. J'ai cessé de m'agenouiller sur les stèles pour regarder dans les trous. J'avais tout compris de la vie, du début à la fin. Je m'intéressais aux filles, à Marie en particulier, que j'embrassais à pleine bouche contre le mur du lycée. Elle voulait devenir avocate.

Aujourd'hui, à bientôt quarante ans, il m'arrive de prendre la direction du cimetière avec mes filles, parce qu'il y a des balançoires dans le parc attenant, juste de l'autre côté du mur, un toboggan, des vélos sur ressort, des revêtements spéciaux pour amortir les chutes. Je m'assois sur un banc, je les regarde jouer. J'ai repris mes cahiers. J'ai même fini par lire. Au fil des ans, l'instrument m'a rempli toute la tripaille. C'est presque devenu un handicap.

Adriane et Lou ont grimpé au sommet de la cage à écureuil. Lou me fait signe de la main. Je leur crie qu'elles peuvent jouer encore, et aussi de faire attention. Samedi, Lou est tombée sur le ventre. Son pied s'est pris dans l'ourlet décousu de sa robe alors qu'elle sautait d'un rondin de bois. Nous rentrerons dans un moment. Elles auront du sable plein les chaussures, dans les cheveux, jusque sous le nez. Il faudra passer un gant de toilette chaud sur leurs frimousses blondes, secouer les sandales au-dessus de l'évier. Pas sur le balcon parce que ça tombe chez la voisine du bas (catégorie vieille pelle). Je me mettrai aux fourneaux. Je ferai une omelette au fromage. Les filles me diront qu'elles en ont marre de l'omelette au fromage. Je leur répondrai que la prochaine fois, j'ajouterai des champignons ou du thon, des tomates en boîte, ce qui leur plaira. Marie rentrera tard ce soir (un colloque à l'autre bout de la ville).

J'ai toujours pensé qu'Hildegarde avait passé sa vie à vendre des nounours en chocolat et des parachutistes en plastique, un tablier autour de la taille, debout derrière une caisse enregistreuse. Et puis de la farine, du cervelas, du jambon, des haricots beurre, des rouleaux de papier toilettes, du dentifrice, des gants de vaisselle... ce genre de choses rigoureusement nécessaires. J'ai toujours pensé ça. Personne chez moi n'a jamais fait allusion à une autre vie avant l'épicerie, une autre occupation, ou seulement laissé entendre qu'elle ait pu habiter une autre ville. Ailleurs qu'ici. Personne ne m'a dit qu'avant la guerre – et avant mon arrière-grand-père – elle avait été musicienne. Je l'ai appris en aidant ma mère à déménager (elle a acheté l'appartement au-dessus de la boutique). Elle et ma tante, tout en remplissant des cartons, parlaient de ces objets inutiles qu'on accumule et qu'on ne peut se résoudre à jeter. Toutes ces babioles qui restent pendant des années, des siècles, en bas des placards, sous les lits, dans des pièces justement nommées débarras. C'est là que nous avons trouvé le violoncelle. « Ça alors, c'est l'instrument de la vieille ! Je croyais qu'on l'avait donné », avait dit ma mère en me passant une housse de cuir tachée. « Mets ça dans le camion s'il reste de la place ou laisse-le à côté des poubelles, enfin fais comme tu veux… »

J'ai descendu l'escalier, encombré du violoncelle. Je ne voyais pas où je mettais les pieds. Je devinais l'emplacement des marches, mais je ne les voyais pas. Il me semblait qu'à tout moment je pouvais trébucher et dégringoler jusqu'au rez-de-chaussée, jusqu'à la cave. Je ne savais pas où j'allais. Des larmes ont coulé le long de mes joues. J'espérais qu'aucun voisin ne me verrait, affublé de cet instrument, pleurant comme un gosse. Personne ne m'avait raconté. Elle était épicière. Elle était musicienne. Et personne ne me l'avait dit. Alors je ne savais rien. Combien d'autres choses ignorais-je ou n'avais-je pas comprises ? Combien en avait-on passé sous silence, jugeant inutile de m'en parler ? Combien de secrets, des plus insignifiants aux plus indicibles ?

J'aurais voulu la rattraper du temps de son chignon noir, de ses mains lisses. Nous aurions parlé de l'instrument dans la tripaille, de cette mélancolie que je vivais sans carte ni généalogie. Oui, nous aurions parlé tranquillement. Et j'aurais posé ma main sur la sienne. Comme un pont entre nous.

SANGLIER NOIR, PIVOINES ROSES

À chaque nouvelle rencontre, il arrive un moment où vous devez raconter votre histoire à celle qui partage votre lit. Ce moment était arrivé. Elle voulait savoir pourquoi j'étais venu m'installer sur un bateau en bord de mer, à quel âge j'étais parti de chez mes parents, quelles études j'avais faites... comme si cette période de l'existence recelait des informations essentielles sans lesquelles l'autre demeurait insaisissable. Peut-être était-ce le cas, après tout.

J'ai longtemps vécu seul avec ma mère. Une cohabitation tranquille, sans éclats de voix, pétrie de règles bien établies, de petites manies. Nous dînions à la cuisine, à 20 heures précises, sur une table en formica recouverte d'une nappe à grosses fleurs roses et blanches – des pivoines. Nous mangions côte à côte, lentement, presque religieusement. Chaque bouchée de nourriture descendait dans nos tristes gosiers, passait aisément ma glotte tandis que ma mère s'étouffait parfois (en particulier avec la compote et la sauce béchamel). Elle se raclait furieusement la gorge, toussait, buvait un peu d'eau et recommençait à manger comme si de rien n'était. La plupart de nos repas se déroulaient toutefois sans irritation ni fausse route, dans une paix étrange, creuse et blanche. Nous étions accordés. Nos coups de fourchette réglés sur la même rythmique de ruminants, nous déglutissions de concert.

Après le repas, nous sortions les chiens, Maudy et Johanne, deux grands caniches noirs que ma mère faisait toiletter chez « Toupourletoutou ». Maudy et Johanne étaient très calmes. Nous les aurions crus en porcelaine si nous n'avions été contraints de les sortir pour leurs petites affaires. Jamais ils n'aboyaient.

J'avais vingt-trois ans, un rond de serviette pyrogravé à mon prénom et des étiquettes en tissu cousues sur le col de mes blousons. J'étudiais le droit maritime à l'université, c'est-à-dire que je noircissais des cahiers 21 × 29,7 à grands carreaux Seyès et que je n'en finissais pas de bachoter les règlements internationaux de la mer. Je n'avais aucune vie sentimentale ni sexuelle. Je restais collé à ma mère et à son petit monde. Je fréquentais même son cercle d'amies à qui il m'arrivait de rendre service après les cours. Je me déplaçais pour une ampoule à changer ou un pot de confiture récalcitrant. Maintenant que le temps a passé, il me semble qu'il s'agissait d'une sorte d'envoûtement.

« Toupourletoutou » fonctionnait comme une station de lavage pour voitures. On faisait monter le chien sur une plate-forme, on lui calait la patte avant gauche dans un sabot, puis on lançait la machine. De chaque côté, une tondeuse en forme de rouleau se mettait à tourner en se rapprochant inexorablement. Les tondeuses étaient munies de capteurs. Tout était automatique. Il fallait simplement sélectionner le programme. Les bouclettes noires, brillantes comme du satin, giclaient de la machine et retombaient en petits paquets légers sur le carrelage en damiers. De temps en temps, une jeune fille venait les aspirer avec un appareil qu'elle décrochait du mur.

Ce jour-là (le jour où je suis parti de chez moi), je devais accompagner une amie de ma mère au cimetière. Son mari était mort d'un accident domestique deux ans plus tôt. Elle habitait un village à dix kilomètres de la ville, une maison près d'une voie de chemin de fer désaffectée. Je suis arrivé chez elle en milieu d'après-midi. Nous étions samedi. C'était une de ces journées parfaites d'automne si l'on s'en tenait au temps qu'il faisait. Je portais une chemise à rayures bleu ciel. Je m'en souviens avec précision, même si cinq années ont passé.

Martha, l'amie de ma mère, m'attendait dans sa cour carrée bordée de thuyas, dont un pied sur deux était crevé. C'était une grande femme à la charpente massive. La maison en revanche était petite, en brique, avec des volets vert olive ajourés d'une découpe en losange. Nous avons pris le café, assis à la table de la salle à manger. Je trempais les lèvres dans ma tasse (le café était trop serré à mon goût), elle grignotait des gâteaux qu'elle piochait dans une boîte en fer-blanc. Je me souviens qu'il y avait une tête de sanglier sur le mur, et qu'elle m'a demandé en s'essuyant la bouche ce que je voulais faire dans la vie. Puis elle a posé la boîte de gâteaux sur la table, s'est levée, elle avait quelque chose à me montrer à l'étage. Je l'ai suivie dans l'escalier raide et sombre jusqu'à une chambre tapissée de voitures anciennes, des tacots de 1900. Une odeur de plâtre humide et de vieux couvre-lits s'est engouffrée dans mes narines. Un rai de lumière formait une tache sur le parquet au pied du lit. Il n'y avait aucun bruit. Au mur, sur un panneau de contreplaqué, des porte-clés publicitaires étaient accrochés à des rangées de clous. Je dirais qu'il y en avait deux ou trois cents qui pendouillaient là, chacun à sa place, chacun défiant le temps au bout de sa chaînette de pacotille, inutile comme un bouton de rechange dans la doublure d'un vêtement neuf. Martha m'a expliqué qu'elle les collectionnait depuis qu'elle s'était mise en ménage, et qu'elle avait reçu la plupart en cadeaux contre des bons d'achat. Le soir commençait à tomber quand nous sommes partis pour le cimetière.

Je la revois marcher dans les allées la tête haute, le buste en avant comme si elle arborait une décoration. J'entends encore le crissement du gravier sous ses semelles de crêpe. Malgré la douceur de la journée, elle portait une toque noire qui avait certainement eu du chien dans une autre vie. Elle avançait le pas tragique, un énorme bouquet de pivoines roses à la main. La tombe de son mari, au fond de l'allée centrale, était à peine plus grande que celle d'un enfant. Les fleurs en ont recouvert la moitié.

Lorsque les capteurs étaient encrassés, il arrivait que la tondeuse entaille une patte ou une oreille. Le chien jappait. Un peu de sang coulait. Des pansements étaient disponibles sur une étagère au-dessus des rouleaux, à côté de l'aspirateur mural. Le rasage manquait parfois de précision, mais les prix étaient hypercompétitifs, et les poils les plus brillants revendus à un chapelier qui militait dans une association œuvrant pour la plantation d'arbres en Amazonie, si bien qu'en prenant soin de son chien on prenait soin de la planète.

De retour à la maison, je me suis préparé un café au lait. Ma mère écoutait des vieux disques dans sa chambre. Je me suis assis sur le canapé du salon. La question ne me lâchait plus. Qu'allais-je faire de ma vie ? Je tournais ma petite cuillère dans ma tasse en même temps que cette phrase dans ma tête. Qu'allais-je faire de ma vie ? Qu'allais-je faire de ma vie ? Je l'égrenais à la façon d'un chapelet sans fin. Maudy et Johanne ne bougeaient pas d'un poil sur le balcon. Qu'allais-je faire de ma vie ? Je n'en avais pas la moindre idée. Je regardais mon café au lait refroidir, un voile commençait à en troubler la surface. Je passais et repassais ma main sur ma joue, dans mon cou, sur mes jambes. Au bout d'un moment je me suis levé pour faire réchauffer ma tasse. La nappe de la cuisine avait perdu ses pivoines roses, comme si quelqu'un était venu les cueillir en douce. Il ne restait que les blanches, à peine visibles sur le fond beige. Je me suis dit que ma mère avait dû acheter une nouvelle toile cirée, mais je ne voyais pas trop pourquoi. Ce n'était pas son style. J'ai jeté le reste de mon café au lait dans l'évier. Sur le dessus une peau s'était formée qui m'écœurait. Maudy et Johanne fixaient toujours la ligne d'horizon, on aurait dit deux sphinx dépouillés de tout.

Soudain, je ne sais pas pourquoi, la tête de sanglier s'est mise à apparaître dans mon esprit par flashes, à intervalles réguliers, toutes les cinq secondes environ. Je la voyais hilare et menaçante à la fois, prête à m'embrocher. Je devenais fou. Je suis descendu jusqu'au garage. La question me taraudait toujours. Qu'allais-je faire de ma vie ? Je suis monté dans la voiture, j'ai mis le contact. Un bruit d'entrechoquement m'a détourné de mes pensées obsédantes. J'ai regardé sous le volant. Des citrons en plastique, jaunes et verts, pendaient à mes clés, ainsi qu'une petite plaque transparente sur laquelle était inscrit en italique « *PAIC citron super dégraissant* ».

J'ai roulé toute la nuit jusqu'à la mer, sans m'arrêter, vitre baissée. Je me souviens que je n'avais pas froid. Je me souviens que j'étais bien, l'air gonflait ma manche de chemise, plaquait mes cheveux contre mon front. Je ne pensais plus à rien.

Enfin, j'étais parti.

CES PETITS RIENS

Michelle est allongée sur le transat dans la cour fraîchement pavée. Trois mois de travaux, on a tout fait refaire, intérieur et extérieur : isolation, charpente, tapisseries, peintures, sols, fenêtres, portail, interphone. La maison respire le neuf, le confort et le formaldéhyde. Michelle prend le soleil. Derrière la haie, le voisin lui fait signe et lance : « Vous avez bien raison d'en profiter avant les mauvais jours ! » Le temps qu'il fait est un sujet éternel, toujours de saison, en particulier quand on me croise. Aurons-nous un hiver aussi doux que celui de l'année passée ? Glacial comme il y a deux ans ? Court, long, sec, humide ? Neigera-t-il ? On craint, on espère, on pronostique. Moi je tranche dans le vif, d'un seul trait de mon mauvais caractère : l'hiver sera frais. Et j'ajoute, morose, que je ne suis pas certain d'y survivre, ni même d'assister à son indubitable avènement, pas sûr de voir tomber la neige, de marcher le long des arbres nus, d'apercevoir les branches se détacher du ciel. Pas sûr de remettre un jour des gants, une écharpe autour de mon cou, un bonnet, des bottes.

Je recommence à manger un peu. Je chipote. Je pignoche. Seules les escalopes de dinde me procurent encore un semblant de plaisir. La raison en demeure mystérieuse, empreinte de l'énigme du corps, insondables paquets de nerfs, d'hormones, de tissus, de circonvolutions cérébrales qui vous font aimer, détester ou vous laissent proprement indifférent. La dinde chez moi passe bien. C'est un fait que je ne m'explique pas, une grâce gustative au milieu de ce dégoût que je ressens pour la plupart des aliments. Je remercie la dinde d'exister.

Michelle téléphone. Le jardin aurait besoin d'être nettoyé, le plastique retendu autour des pieds de fraises. J'aperçois les tomates qui s'accrochent aux tuteurs torsadés. Elles sont belles, en grappes, agrippées, rouges et rondes. Les dernières de la saison. J'irai cueillir les plus grosses dès que le soleil aura décliné. Peut-être en goûterai-je une, la trouverai-je sucrée, comme avant.

C'est sa mère au bout du fil. Je sais tout de suite quand c'est sa mère. Depuis trente ans qu'elle appelle, je reconnais la sonnerie. Elle prend des nouvelles. J'entends Michelle les lui dispenser une à une, lui donner la becquée de ce qu'elle a ruminé, mastiqué, retourné cent fois dans sa bouche, ces petits riens qui font notre quotidien et qui la remplissent comme une cuve. Je l'entends qui régurgite gentiment notre vie, sous forme de petits bouts de phrases cohérentes, conformes, agencées selon les bons codes : sujet-verbe-complément.

« Il a mangé hier, surtout son escalope, depuis quelques jours il n'y a plus que ça qui descend, enfin il mange, c'est l'essentiel, la dinde glisse, le reste non, ça ne passe pas, la chimiothérapie le fatigue toujours, il a perdu encore des cheveux, il dit que non mais je vois bien que si, il a eu sa séance lundi, c'est pareil à chaque fois, le premier jour ça va, mais les jours suivants ça dégénère, il est fatigué, et quand les globules remontent, il faut y retourner, non il ne sort toujours pas, il n'a pas droit au soleil après les rayons, c'est dommage avec ce temps, je regrette presque qu'il ne pleuve pas, oui, le fait qu'il mange c'est bon signe… »

La porte d'en bas est entrouverte. Je me tiens dans l'ombre. Depuis cinq semaines, je sais que je suis atteint d'un cancer du poumon. La conversation continue. Il est maintenant question de confiture de pommes. Cette année fut une année à fruits. Incontestablement. Au moins deux cents kilos dont la moitié pourrit au compost. « C'est dommage, reprend Michelle. Nous apporterons un panier ou deux samedi prochain, pour ne pas gâcher. »

Je m'occupe les mains dans la cuisine d'été. J'épluche des scorsonères, assis en face d'un mur coquille d'œuf, sur lequel Michelle a accroché un tableau acheté dans une brocante il y a longtemps. Peut-être dix ou quinze ans. Une copie d'un Van Gogh. Les épluchures forment des tas sombres sur le papier journal, j'ai les doigts tachés, surtout le pouce et l'intérieur de l'index. Ces marques ne s'en iront pas facilement, je le sais, elles resteront gravées dans les sillons du bout de mes doigts, des jours durant. J'imagine mon nom à la rubrique nécrologie, à côté des naissances et des mariages : « Michelle M. a la douleur de vous faire part… »

Dehors, la causerie se poursuit : la dose de sucre, le temps de cuisson, la prise de la confiture et les coings qu'on peut ajouter. Je souris en pensant que l'adjonction – immanquablement – aboutira à la mention « pomme-coing » sur l'étiquette. Mes préférées. Puis il est question de canard à l'orange, d'un pull oublié sur une chaise ou peut-être dans le placard de l'entrée, des draps qui sèchent au soleil.

Il reste quelques salsifis noirs dans ma passoire. Je ne sais pas comment ma tête tient encore sur mes épaules, mon dos sur mes hanches, mes pieds sur le carrelage neuf. Je suis épuisé. Je vais m'allonger un moment sur le divan qu'on a installé depuis que je suis malade. Je regarde les murs propres, sans une craquelure, puis le tableau au-dessus de la petite table, au-dessus des scorsonères. Cela fait des années que je voyage dans la cale des tableaux. Incognito. J'ai mes habitudes. Dans celui-ci, je monte ou je descends, toujours lentement, l'escalier d'Auvers-sur-Oise, l'escalier coulant de Vincent. Je visite les maisons d'en haut, j'entre par les fenêtres ou par les portes, ça dépend. Je me fonds dans les couleurs, le rouge, le jaune, le bleu. C'est comme un vieux manège ou l'intérieur d'une femme, comme un cocon, un œuf à la coque, une tartine, des retrouvailles. Du plaisir et de la beauté.

Michelle pousse la porte.

— Comment tu vas ?

— Je me repose un peu.

— C'était ma mère.

— Oui, je sais. Elle va bien ?

— Elle venait aux nouvelles. Nous passerons samedi lui porter un panier de pommes ou deux. Elle fera des confitures. C'est dommage de laisser tous ces fruits se gâter.

— Oui, c'est dommage.

Michelle pose ses lunettes sur la table, s'assied, finit de préparer les scorsonères que j'ai laissées dans la passoire. Elle me tourne le dos. J'observe un instant le mouvement régulier de son coude droit, j'imagine ses mains maniant l'épluche-légumes avec dextérité. Au fil des ans, sa taille s'est épaissie. Le noir lui ira merveilleusement bien. Mes yeux se ferment sur cette constatation dont je ne sais au fond que penser. Le sommeil me gagne.

J'assiste à mon propre enterrement :

Belle-maman ouvre la marche, à peine ralentie par les paniers qu'elle porte à chaque bras. Des paniers en osier tressé remplis de pots de confiture. Le cortège remonte la rue jusqu'à l'église. Les hommes ont sorti leur costume sombre, mornes scorsonères. Belle-maman, toujours en tête, ne faiblit pas sous la charge. D'un pas de guerrière, elle entre dans la cour puis s'arrête, un sourire aux lèvres, au milieu des statues de saints et des marguerites jaunes. Elle installe les paniers sur les marches du calvaire, en face du porche de l'église, se redresse, lisse les plis de sa robe et commence la distribution d'un air guilleret. Les gens se rassemblent, comme ravigotés, se pressent autour d'elle pour recevoir leur pot joliment garni d'un ruban satiné. Une file d'attente se forme : mes anciens collègues, des élèves, mes frères, des amies de Michelle, des gens du quartier, du club de philatélie, du conseil municipal. Et tandis que tous les visages se tendent vers cette multiplication des pots, j'aperçois, collée dans le ciel laiteux, une immense étiquette sur laquelle est écrit en lettres d'écolier : « Confiture de mous métastasés. »

Je me réveille en sursaut, la gorge sèche, le cœur battant à tout rompre. Combien de temps ai-je dormi ? Michelle a mis les scorsonères à cuire. J'entends le bouillonnement de l'eau sur le feu. Et le tic-tac de la minuterie. La sonnerie va bientôt retentir, familière, effrayante. Samedi, je n'irai pas porter les paniers de pommes chez belle-maman. Non je n'irai pas.

Plutôt crever.

LES CHEVAUX ROUGES

Je n'en ai jamais rien dit à personne, mais au départ nous étions deux, deux sœurs, si proches, nous ne pouvions l'être davantage, crois-moi, puis nous ne fûmes plus qu'une.

« 1914, c'est la guerre. » Mon père était monté sur une échelle pour graver ces mots tout en haut du mur, juste sous le toit de la grange. J'ignore pourquoi. Pour s'en convaincre peut-être ou pour les générations futures. Juste en dessous du toit. Mon père, je ne l'ai pas connu. Ma mère en parlait peu. Ce que je sais de lui, je l'ai appris dans les lettres qu'il lui envoyait du fond de son trou, et que j'ai trouvées plus tard dans l'armoire de la chambre.

Ma mère ne montait pas aux échelles. Elle avait le vertige. Elle écrivait au coin du feu dans des carnets : les corvées à faire dans un carnet bleu ; les comptes dans un carnet bleu aussi mais plus foncé, à la tranche dorée, au papier jauni ; et puis il y avait un carnet noir, secret. Ma mère avait peur. Notre père était parti à la guerre, nous étions seules avec elle, ou devrais-je dire, j'étais seule avec elle. Je ne sais plus si ma sœur vivait encore. Je ne sais plus quand son cœur s'est arrêté de battre. Ma mémoire me joue des tours. Je suis vieille, je ne peux pas me souvenir de tout. Je me rappelle les carnets, tu vois, mais pas le jour où ma sœur est morte. C'est curieux comme certains détails restent alors que l'essentiel s'efface.

Louis, le voisin qui devait nous aider pour les vaches, était parti lui aussi. Au village, il ne restait que Félix et Georges, deux moitiés d'imbéciles. Tous les autres s'étripaient sur les champs de bataille.

Ma mère s'est occupée de la ferme tant qu'elle a pu. Puis ce fut trop. Elle avait beaucoup grossi. Elle ne pouvait plus se traîner, même jusqu'au lavoir. Une cousine a emménagé chez nous. Elle s'est chargée des bêtes et de tenir la maison propre. La vie est devenue plus facile, mais la peur est restée. Elle était comme une maladie dont ma mère ne parvenait pas à guérir, une maladie transmissible. Ma sœur et moi soupions de ce mauvais sang.

Mais qu'est-ce que je te raconte, Sophie ? Donne-moi plutôt à boire, veux-tu, c'est si gentil d'être venue me voir. Il ne faut pas faire attention, je ne sais plus ce que je dis. Comment va ton petit Liam ? C'est bien Liam, n'est-ce pas ?

Il n'y avait pas assez de place. Et moi, j'ai toujours été forte. Déjà au tout début, j'étais la plus forte. J'avais pris le dessus. Oui, pris le dessus.

Voilà que je continue de t'ennuyer avec mes

histoires. J'ai chaud. Comme j'ai chaud. Je vois des choses qui n'existent pas. Je dis des choses que je n'ai pas pu voir. Je ne sais plus trop. Ce dont je suis sûre, c'est que nous avons été délivrés le 15 mars 1915 au matin. Je veux dire toute notre petite famille. Ma mère nous a mises au monde ma sœur et moi, tandis que mon père s'en retirait après trois semaines d'agonie au fond d'une tranchée infestée de rats gros comme des cochons. Dans la chambre à l'étage, ma sœur était mort-née. Le mauvais sang l'avait tuée. La goutte de trop. Je la sens glisser ce soir dans mon dos, là, tu vois, je la sens, elle est minuscule comme une coulée tiède le long de ma colonne. Je sens qu'elle m'échappe à nouveau, qu'elle me quitte une seconde fois. Nous sommes arrivées ensemble elle et moi. Ensemble. Côte à côte. Mais j'avais pris le dessus. Oui, j'avais pris le dessus.

Ma mère l'a prénommée Blanche. Blanche comme la neige immaculée, lumineuse, vierge d'empreinte, blanche comme notre Blanche qui est morte juste avant d'être née. Ma sœur. La terre qui recouvrait sa tombe a disparu, tassée par les intempéries. Il ne reste que la croix penchée avec sa plaque au milieu, en forme de cœur, sur laquelle on ne lit plus que la fin de Blanche et le « V » de Vailloud.

Je vais mourir cette nuit, mon petit. J'ai mal au ventre, je tremble et je sue. Mon front est chaud. C'est mon cœur qui me quitte, celui que j'ai donné à Dieu il y a si longtemps. Tous ces chants, toutes ces prières, toutes ces sœurs, mes sœurs si tranquilles, mais je ne connais rien de celle qui s'est nourrie du même sang que moi, celle collée à ma peau, cet être de chair, le seul avec qui j'ai partagé l'intimité des corps. Te rends-tu compte, Sophie, l'intimité des corps. La peau.

J'entends les sœurs marcher jusqu'au réfectoire, c'est l'heure de la soupe et du yaourt, de la salade ou de la tranche de jambon, l'heure du poisson, des œufs brouillés, des pommes de notre verger. J'entends leurs pas dans le couloir, leurs chuchotements. Les portes s'ouvrent et se referment si doucement. Je ne pars pas en paix, Sophie. Tout me revient, les carnets de ma mère, ses yeux froids comme l'eau du lavoir, le fourneau près duquel je me réchauffais et qui me brûlait le dos, les sabots dans la neige épaisse, les crucifix au-dessus de nos lits. Tout me revient, Sophie. Cette nuit, la dernière, je veux monter au ciel sur un grand cheval rouge à la crinière dorée, libre, débridé, les naseaux fumants de rage, l'écume à la gueule. C'est la guerre, Sophie ! Dieu, c'est la guerre ! Nous étions deux, puis une, puis nous n'étions plus. J'avais pris le dessus. Nous étions deux, puis une, puis nous n'étions plus. J'avais pris le dessus.

Vois comme les chevaux rouges arrachent nos voiles et nos prières, nous rendent nos hommes et notre colère. La cloche sonne près de l'arbre aux feuilles d'or, l'arbre aux écus, t'en souviens-tu ? Je sens la cire du couvent, les couloirs en bois, les piliers de pierre, la chapelle. L'eau bénite, Sophie ! C'est pour les chevaux. Qu'ils viennent y boire ! Qu'ils s'y désaltèrent ! Qu'ils fassent trembler le sol de leurs sabots de fer !

Qu'ils soient ma fureur, qu'ils ne consentent à rien ! Qu'ils ne reconnaissent aucun mystère ! J'ai tellement soif. Et voilà que c'est la fin. Les sœurs ont quitté ma chambre. On m'a fermé les yeux. Je ne pars pas en paix, Sophie. Je ne pars pas en paix. Je ne pars pas en paix.

L'ÉPREUVE DE CRAWL

Elle me regardait les lèvres serrées, comme elle le fait quand elle est agacée, ou fatiguée. « C'est bizarre ta question, non ? » Nous étions assis l'un en face de l'autre. Nous finissions de manger. Une odeur d'aubergines frites à l'huile d'olive flottait dans l'air confiné de notre appartement. Je me raclai la gorge.

— Au basket... euh... au basket...

— Au basket, quoi ? demanda ma femme en croisant ses couverts dans son assiette.

— Au basket, est-ce que les plus jeunes sont appelés « poussins » à cause des « poules » ? lançai-je tout en m'essuyant les coins de la bouche.

— C'est bizarre ta question, non ?

En fait, oui et non. Il y avait des questions plus surprenantes. Je lui assurai que je pouvais lui en dresser une liste sur-le-champ s'il le fallait. Elle me regarda en tordant la bouche et prit le poivrier qu'elle se mit à faire pivoter entre ses doigts, signe que la tension montait : je m'apprêtais à soutenir que ma demande n'avait rien d'étrange, elle se préparait à affirmer le contraire, bien entendu. Pourquoi éprouvais-je le besoin de poser des questions de dingue ? Je l'ignorais. Je savais seulement que cette inclination allait en s'accentuant. Dire des extravagances était devenu comme une petite jouissance. J'avais décidé, en outre, de partir du principe que tout ce qui se trouvait placé avant un point d'interrogation ne pouvait être complètement idiot. C'était un parti pris risqué. Voire désespéré. Enfin c'était le mien.

Une dispute se profilait donc, aussi sûrement que je raffole des aubergines frites à l'huile d'olive. Et pourtant, était-ce pour préserver nos vacances, ou parce que nous prenions de l'âge, la bataille n'eut pas lieu. Nous baissâmes les armes devant cette ixième ICT. Elle n'insista pas. Je débarrassai la table en silence. La journée se poursuivrait telle que nous l'avions prévue la veille au soir, dans notre lit à deux sommiers, à la lumière de nos lampes de chevet respectives (nous établissions chaque soir le programme du lendemain avant de nous endormir). Nous avions convenu de sortir en début d'après-midi acheter un guide sur les fleurs. Ma femme s'était mis en tête d'identifier les espèces rencontrées lors de nos promenades. Je me gardai bien de lui dire que j'avais autant envie d'un guide sur les fleurs qu'un potamochère d'un rétroviseur électrique. Elle aurait trouvé la comparaison bizarre. Et tout aurait recommencé.

La librairie sentait le pin. Des étiquettes indiquaient les rayons : Romans, Encyclopédies, Architecture,

Cuisine, Philosophie... Ma femme et moi déambulions parmi les étagères impeccables comme deux chats circonspects. La moquette assourdissait nos pas. Il y avait peu de clients. Un homme chauve arpentait les allées. Il portait un pantalon de toile blanc et un polo rouge sur lequel était épinglé un badge. Les best-sellers s'étalaient sur une table à l'entrée. Ma femme avait rencontré une connaissance. Je n'avais pas envie de feuilleter quoi que ce soit. Je suis sorti. Dehors, je me réaccoutumai lentement à la lumière naturelle (la librairie ne disposait d'aucune fenêtre et j'ai les yeux ultrasensibles). Les voitures roulaient devant moi sur trois files. À ma gauche, la tour Zihon s'élevait de la manière la plus prétentieuse qui soit, avec sa pique dressée au sommet de son dôme de verre. J'étais en train de me dire que les tours étaient toutes prétentieuses, et celle-là particulièrement, quand j'ai vu passer derrière – et réapparaître de l'autre côté – un équipage réellement singulier : une femme juchée sur un cheval rouge, suivie d'une horde de chevaux plus petits à la robe plus sombre, je dirais carmin. Cette femme traversait le ciel comme si elle glissait sur un fil tendu d'un point A vers un point B, ou comme si elle empruntait la trajectoire régulière d'un avion de ligne. Elle était coiffée d'un grand voile noir de carmélite. Son cheval, splendide, possédait une crinière magnifique, scintillante comme une traînée d'étoiles. Je n'avais jamais rien vu d'aussi beau. Et pourtant ce n'est pas mon style d'être remué par des paillettes. Les feux d'artifice, par exemple, me laissent indifférent. Je préfère, alors que ça pétarade dans tous les sens, contempler la lune blafarde à travers les nuages. Ce qui met ma femme en rogne (je crache dans la soupe). J'ai pensé aussitôt à une de ces animations d'été, bien que cela me semblât peu vraisemblable. Était-ce un hologramme ? Une façon d'annoncer une pièce de théâtre, un film ? Une publicité pour une lessive spéciale linge noir ?

La deuxième fois, je mangeais mon sandwich dans le square Doctavy. C'était le 17 juillet. Je me souviens de la date parce que je me rendais chez mon allergologue (je terminais une longue série de séances de désensibilisation). Alors que d'habitude je déjeunais en marchant, je m'étais installé sur un banc, en face d'une statue représentant une semeuse. Je me rappelle avoir longuement contemplé ses sabots. J'en trouvais la forme voluptueuse comme un sein. Elle scrutait le ciel, sa main droite posée en visière. C'est en suivant son regard, que j'ai vu à nouveau la carmélite. Son allure était toujours aussi tranquille, sa trajectoire aussi régulière. Elle était jeune et digne. Au fil des apparitions, elle a pris de l'âge. Au bout de trois semaines, c'était une très vieille femme, qui se tenait si courbée sur son cheval que j'ai craint plusieurs fois qu'elle n'en tombe. Mais elle n'est pas tombée. Elle est restée vissée à sa monture comme la semeuse à son socle. Derrière elle, la horde des autres chevaux continuait de galoper, plus petits et plus sombres. Je ne suis jamais parvenu à les compter.

Je me posais des tonnes de questions, surtout le

soir lorsque nous éteignions nos lampes de chevet et que la pénombre envahissait la chambre. Que signifiait cette vision ? Est-ce que j'étais malade ? Présentais-je les signes avant-coureurs d'une dégénérescence cérébrale ? Ou était-ce seulement un rêve qui faisait irruption dans mon état de veille, se plantait comme un éclat de verre dans une pomme ? Je ne savais que penser. La carmélite ne portait aucun message. Aucune banderole n'était accrochée à son cheval. Rien d'autre ne flottait que son voile noir et l'étincelante crinière de sa monture. J'étais sans doute en proie à des hallucinations. Cela devint une certitude le jour où j'en parlai à ma femme. Elle ne voyait ni carmélite, ni cheval, m'assura-t-elle. J'étais seul à la voir.

Elle consultait son guide des fleurs en sirotant un thé. Elle avait finalement opté pour un livre avec une classification par couleur : plus de mille cinq cents espèces réparties en dix groupes différents. La quatrième de couverture précisait que les photos étaient accompagnées d'un descriptif indiquant le nom latin, la période de floraison, la taille approximative et l'habitat typique. Elle en semblait tout à fait satisfaite.

— Dis…

— Oui ?

— Est-ce que tu penses qu'on est vieux quand on achète ce genre de livre ?

— Quel genre de livre ? (J'adore la taquiner.)

— Celui que j'ai dans les mains ! De quel autre veux-tu que je te parle ?

— Oui, c'est possible, répondis-je en débarrassant ma tasse à café.

Il était 9 h 45. Elle s'apprêtait à partir entraîner les poussins au basket. Je jetai mon maillot de bain et une serviette dans mon sac de sport. Le samedi, je me rends au centre nautique pour faire des longueurs. Je n'y étais pas allé depuis plusieurs semaines en raison d'une aggravation de mon allergie au chlore. Entre-temps, la direction du centre nautique avait fait installer un système d'ouverture du portail par lecture d'un code. J'avais reçu ma carte et perdu les explications. Je la tournai dans tous les sens. La ligne rouge du laser ne déclenchait rien. Impossible d'entrer. Le portail restait obstinément fermé. Je pestai. J'allais y mettre des coups de pied quand est arrivée Clotilde, une de mes collègues du tribunal (je travaille au greffe).

— Tu viens pour le concours, toi aussi ?

— Euh... quel concours ?

— L'épreuve de crawl ! Le gagnant aura accès au bureau du directeur, et surtout, à la boîte-fleurs.

— La boîte-fleurs ?

— Oui, la boîte-fleurs ! Ils ne parlent que de ça en ce moment sur WN.

— Ah bon... rien entendu.

— Le gagnant peut poser n'importe quelle question, à la seule condition qu'elle le touche personnellement. La boîte-fleurs connaît toutes les réponses. Elle sait tout sur tout le monde.

Clotilde semblait très étonnée que je l'ignore. Elle me regardait avec commisération comme si j'étais complètement hors course. Je crois même qu'elle m'a appelé « mon pauvre », ce dont j'ai horreur. Elle me donnait l'impression que tous les potamochères savaient depuis longtemps tirer parti d'un rétroviseur électrique, alors que j'en étais tout juste à le pousser du groin dans la boue. Je pensai que cette boîte-fleurs (nom que je jugeais ridicule) pouvait lever des interrogations du style : pourquoi il ou elle m'a quitté ? Pourquoi je cumule les ICT ? Ou plus gravement : combien d'années me reste-t-il à vivre ? Ce concours avait lieu tous les ans. Comment avais-je pu le rater avec une telle constance ? J'en déduisis qu'avant la carmélite, rien ne faisait véritablement énigme dans ma vie. J'étais passé à côté parce que je ne me sentais pas concerné. Voilà tout. En outre, j'étais d'un naturel distrait. Je n'avais jamais remarqué la semeuse jusqu'au jour où je m'étais assis en face d'elle pour manger mon sandwich. Clotilde m'expliqua qu'elle participait au concours chaque année et qu'elle l'avait remporté une fois. Elle avait posé sa question, il y a cinq ans. Elle ne poserait plus la même aujourd'hui.

Seuls les abonnés du centre nautique pouvaient s'inscrire. Il s'agissait non pas de nager plus vite que les autres mais d'exécuter un crawl exemplaire, à la fois technique et gracieux. Je n'étais pas un nageur très puissant, en revanche je parvenais à réduire la résistance de l'eau par un alignement parfait des différentes parties de mon corps. Je nageais les yeux fermés, concentré sur le maintien de ma tête, de mes bras et de mes jambes autour d'un même axe. Je fendais l'eau telle une otarie dans la fleur de l'âge. Le jury ne s'y trompa pas. Il apprécia la fluidité autant que la rigueur de mon style. Je remportai le concours.

Clotilde vint me féliciter.

— Tu nages vraiment très bien. Tu t'entraînes depuis longtemps ?

— Depuis l'âge de huit ans. Le secret, c'est de nager les yeux fermés.

— Moi, je regarde les lignes au fond du bassin. Ça me guide.

— Chacun sa technique, dis-je.

— Oui, tu as raison, chacun sa technique.

Je voyais bien qu'elle m'enviait.

Une jeune femme brune s'était approchée de nous. Elle me demanda de bien vouloir la suivre. Je m'excusai auprès de Clotilde. Je devais rencontrer le directeur. La jeune femme me conduisit jusqu'à son bureau au deuxième étage. Ses talons claquaient sur le sol et je trouvais le bout de ses chaussures trop pointu. Les yeux me piquaient affreusement. J'avais juste eu le temps de passer un peignoir. Mon collyre était resté dans mon sac au vestiaire. Je devais ressembler à un lapin albinos. La jeune femme s'arrêta devant une porte en bois et appuya sur l'interphone placé à côté. Elle s'avança, replaça une mèche de cheveux derrière son oreille et prononça d'une voix d'hôtesse : « M. Pik, le gagnant de l'épreuve de crawl. » Puis, avant de faire demi-tour, elle me glissa dans un souffle : « Encore bravo pour votre prestation. » J'attendis plusieurs minutes que la porte s'ouvre. J'allais partir quand un homme apparut et me fit signe d'entrer. Il était plus petit que moi, portait un costume anthracite, une pochette crème et une clé autour du cou.

— Bienvenue, je suis le directeur du centre nautique, Paul Pik. Mes félicitations pour votre victoire. Très beau style, vraiment. Très beau style.

— Merci.

— Je pense que vous souhaitez poser votre question à la boîte sans plus attendre ?

Paul Pik m'indiqua le canapé en cuir au fond de son bureau. La boîte y était installée. Elle ressemblait à une grosse marguerite, à la différence que chaque pétale était d'une couleur différente. Un cauchemar pour les auteurs de guides.

Je l'interrogeai :

« Pourquoi est-ce que je vois une religieuse traverser le ciel sur un cheval rouge ? »

Dite à haute voix, ma question me sembla des plus saugrenues. Mais c'était la mienne et je n'en avais pas d'autre. Je me fichais de savoir quand j'allais mourir ou si ma femme m'aimait. Je voulais savoir pour la carmélite. Le directeur ôta la clé de son cou et la posa sur le cœur de la fleur. La boîte s'alluma puis émit un léger bruit d'imprimante. Un ticket sortit, comme un ticket de caisse. Le directeur me le tendit. J'y lus mon nom, mon prénom et la marque de ma première voiture :

Bildevessin-Rougemont Armand
Toyota Corolla

Et, dans un rectangle en bas du ticket, figuraient quelques mots en caractères gras :

“C’est bizarre ta question, non ?”

D’abord, je rougis. Je crois que j’avais honte. Puis je me ressaisis. Je protestai. Ce n’était pas une réponse.

— La boîte est souveraine, répliqua le directeur.

— Mais sa réponse n’est pas une réponse ! C’est une question ! Et elle ne fait que reprendre ce que ma femme me dit quand je l’agace.

— Vous m’ennuyez, cher monsieur. La boîte, c’est la boîte, que voulez-vous que je vous dise, sinon que l’entretien est clos ?

Le directeur appuya sur un gros interphone de la couleur de sa pochette et fit d’une voix fatiguée : « Magali. » Presque concomitamment, j’entendis claquer dans le couloir les talons de la jeune femme qui m’avait conduit là quelques instants plus tôt. Je ne pus m’empêcher d’insister une dernière fois auprès du directeur. Magali attendait, un peu à l’écart. Une pince retenait ses cheveux. « Je vous reconduis au vestiaire, monsieur Bildevessin-Rougemont, me dit-elle en me prenant le bras. Si vous voulez mon avis, c’est un problème d’interférences, des histoires d’ondes ou de champs magnétiques qui se télescopent. C’est à cause des circuits de la boîte. Ils sont ultrasensibles. Quoi qu’il en soit, encore bravo pour votre crawl, très beau style, très, très beau style, parfaitement maîtrisé, vraiment. »

LA TÊTE DE LA MERCIÈRE

Voici les endroits où je redoute de trouver une tête humaine affreuse et sanguinolente : dans la poubelle de ma cuisine, dans la poubelle sur le trottoir, au fond de mon garage.

Caractéristiques de cette tête : c'est celle d'un homme aux cheveux bruns, d'âge mûr, la cinquantaine. Elle a l'air d'avoir été arrachée. Des lambeaux de chair et des gros vaisseaux rouges et bleus comme dans les précis d'anatomie sortent par en dessous. Les yeux sont exorbités. La tête a été coupée par surprise, mais ce n'est pas certain, la décapitation étant le genre d'événement qui, annoncé ou non, vous agrandit le regard mieux qu'un Ricil.

Pourquoi cette tête se trouverait-elle dans les endroits cités ci-dessus ? Je n'en ai aucune idée.

Je m'appelle Margaret Ted. J'ai trente-huit ans. Je tiens une mercerie rue des Fontaines dans le quartier piétonnier de la ville, une de ces petites rues sinueuses et tranquilles qui montent en direction de l'église

Sainte-Carme. J'ai repris la boutique de ma mère, elle-même succédant à la sienne. Toutes les femmes qui m'ont précédée étaient mercières. Je ne pourrais pas vous dire le nom de la première de la lignée, ni à quoi elle ressemblait. Ce que je sais, c'est que lorsque mon tour est venu, je n'ai pas su rompre la chaîne. Je suis mercière comme les autres. J'aurais pu être toiletteuse pour chiens si j'aimais les chiens, comme Vanessa, une fille avec qui j'étais à l'école. Mais je suis mercière, j'ai deux enfants et pas de chien. Mon mari travaille au service de l'état civil à la mairie. Ma vie est stable, paisible, si lisse qu'on pourrait glisser dedans sans faire exprès. Ma vie, c'est du papier sulfurisé. Rien n'accroche.

Mes clientes sont pour la plupart des habituées. Elles achètent du coton à broder, des boutons, des galons, tout un tas d'accessoires qu'il serait ennuyeux d'énumérer ici. Et puis du lurex, ce fil brillant à la mode qu'elles tricotent avec la laine, et qui comme l'an dernier échouera à égayer leur minois (s'il suffisait d'un fil).

Parfois, je me demande ce qui motive la tricoteuse, pourquoi elle s'obstine à répéter le même geste des heures durant. Je pique, je passe mon fil, je fais glisser la maille... Je pique, je passe mon fil, je fais glisser la maille... J'ai ma petite idée : en s'activant comme des locomotives, quelque chose que j'ai du mal à définir, que je perçois sans pouvoir le nommer, « quelque chose », donc, se ratatine jusqu'à disparaître. De l'ennui ou du désir ou de la peur, enfin je suppose...

du matériel planqué qui dérange, des colères, des rages. C'est comme si le diable passait, mais ne s'arrêtait pas, comme si on refusait de le voir, qu'on le mettait à la porte chaque fois, une sorte de vendeur de cuisine à domicile ou de témoin de Jéhovah dont on se débarrasse d'un « non merci, ça ne m'intéresse pas ». Imaginons maintenant qu'il s'arrête, le diable, qu'il prenne un siège, qu'il fasse un brin de causette tout en sirotant un Bananas Paradise (j'adore les Bananas Paradise), la tricoteuse ne pourrait plus faire semblant qu'il n'existe pas. Elle ne pourrait plus ignorer l'envers du tricot, la pique de l'aiguille, la maille de travers. Et s'il coinçait son pied dans la porte, ou sa fourche, il y a fort à parier que la tricoteuse imploserait, courrait le monde et les hommes, deviendrait géographe, funambule ou nageuse de crawl, enfin qu'elle ferait quelque chose. Voilà ce que je pense parfois, mais je n'en suis pas sûre. Il ne faudrait pas croire que je suis sûre parce que je ne le suis pas. J'ai seulement de drôles d'idées.

« Bonjour, madame Iverna, vous allez bien ? »

Mme Iverna va toujours bien. Comme elle est plus petite que moi, j'aperçois le sommet de son crâne bicolore : du blanc aux racines et de l'orange aux pointes. Avec ses lunettes aux fines montures argent posées sur l'extrême bout de son nez, on dirait une renarde à l'affût. Œil vif mais dos voûté (sa tête passe toujours le pas de la porte avant ses pieds), elle a beaucoup tricoté, des centaines de pulls et de chaussettes, des brassières, des dessus-de-lit, des gilets aussi. Elle parle du temps qu'il fait, qu'il a fait, qu'il fera, des sujets validés en somme. Elle vient acheter du fil à broder dans les tons de rose.

La seconde cliente est beaucoup plus jeune, la trentaine à peine. Je ne l'ai jamais vue. Elle se lance dans le point de croix et cherche un modèle de canevas pour débuter, « une grille simple et sympa ». Moi, j'ai du mal à garder les yeux ouverts. Je souffre d'insomnie ces derniers temps. Pour tenir le choc, j'ai acheté une cafetière que j'ai installée sur un tabouret dans un coin de la boutique. J'aime bien boire mon café en regardant par la fenêtre. Il y a des jours où je m'amuse à des jeux stupides. Par exemple, je me dis, « le septième passant sur le trottoir de droite sera ma prochaine réincarnation ». Souvent je tombe mal, alors je recommence. Aujourd'hui la rue est déserte. Il ne fait pas beau. Mme Iverna prédit le même temps maussade pour toute la semaine : « Cette année, on n'est pas gâtés. »

À sept heures moins le quart, avant de baisser le rideau, je fais un peu de rangement, je vérifie ma caisse et que tout est bien fermé. Puis je rejoins ma voiture garée deux rues plus loin. J'habite une villa dans un lotissement, à six kilomètres. J'emprunte toujours la rocade pour rentrer.

Ce soir, au menu, c'est spaghettis à la bolognaise, le plat préféré de Pierre. Tout le monde est à table. Chacun enroule ses pâtes autour de sa fourchette, en racontant ces petits riens qui, mis bout à bout, finissent par faire une journée. Pierre se plaint de ses collègues, les enfants essayent de se souvenir en vain de ce qu'ils ont mangé à la cantine. Nous dînons de bon cœur, sauf Anatole qui a peu d'appétit. C'est au moment de débarrasser que cette stupide angoisse revient : et s'il y avait une tête humaine affreuse et sanguinolente dans ma poubelle de cuisine ? J'essaye de me raisonner (enfin, Margaret, ce n'est pas possible, tu délires) mais ça ne marche pas, je ressens toujours cette peur insensée. Alors, le pied sur la pédale, je jette le restant de pâtes d'Anatole en regardant le plafond. Je finis de débarrasser la table. Je fais la vaisselle. Je m'essuie les mains dans le torchon accroché à côté de l'évier. Je passe un coup de balai. Puis je m'assois et je me dis que si jamais il y a une tête, si jamais il y a vraiment une tête, il vaudrait mieux que mes enfants ne la voient pas. Alors je repose le pied sur la pédale et je me force à regarder. Évidemment il n'y a rien, rien d'autre que les déchets ordinaires : coquilles d'œufs, pots de yaourts, emballages de steaks hachés, brocolis tout mous, collants filés, spaghettis, coins de papier sulfurisé. Pas de tête coupée. Pas de tête coupée. Pas de tête coupée.

La nuit est tombée depuis plusieurs heures, recouvrant d'un voile noir les maisons du lotissement, les haies de lauriers, les pelouses, les tricycles, les balançoires. Absolument tout. La joue posée sur mon oreiller ergonomique parfumé à l'huile essentielle de géranium rosat, je suis en plein cauchemar. Mes yeux roulent sous mes paupières comme si j'assistais à un match de tennis. Mme Corti, une habituée, demande à voir les modèles de canevas. J'ai pris le catalogue sur l'étagère et suis en train de lui montrer les différents motifs : des chatons dans une corbeille, un cerf au bord d'un lac, un chalet dans la montagne, un voilier, une jeune fille devant une fenêtre… quand soudain, tel un serpent dans un panier de poussins, une tête humaine affreuse et sanguinolente apparaît, avec les vaisseaux rouges et bleus qui pendent par en dessous comme dans les livres d'anatomie. Le dessin est d'une grande précision, plus proche d'une photo que d'une grille de canevas. Mme Corti recule, épouvantée, laisse échapper une série de « Oh, oh, oh ! » avant de sortir en hurlant : « Coupeuse de tête ! Sorcière ! Margaret Ted est une coupeuse de tête ! Une sorcière ! » Tout le quartier se retrouve sur le trottoir : le boulanger, l'assureur, le libraire, Vanessa et ses chiens, les frères de Sainte-Carme. « Quelle honte de vendre des horreurs pareilles, Margaret Ted ! » On parle, on s'offusque, on me montre du doigt. On rit. Je me cache au fond de ma boutique, mais à l'intérieur, c'est pire. Des spaghettis à la sauce tomate ont envahi la pièce. Ils débordent de mes étagères, de mes corbeilles, s'entortillent autour des bobines de fil. Si je les regarde un peu trop, ils se mettent à remuer comme de longs vers ensanglantés. Ces spaghettis sont vivants. Ce sont eux qui finiront par me manger, par grouiller dans mon corps inerte. Je voudrais crier, mais aucun son ne sort de ma bouche. Devant moi, sur la moquette rase, deux pieds rouge écrevisse sont apparus, suivis d'une paire de jambes, d'un tronc et d'un cou. Chaque morceau s'est emboîté dans l'étage inférieur comme une tour de cubes. Et puis plus rien. Le vide. Pas de tête. Rien en haut de l'édifice. Seulement une carte de visite attachée au cou par une cordelette, telle une étiquette de valise, et sur laquelle il est écrit : « DÉSOLÉE, JE GARDE MA TÊTE POUR LES GRANDES OCCASIONS ».

Je suis terrorisée. Je sens les muscles de mon dos se durcir, mon cou s'enfoncer dans mes épaules. J'ai du mal à respirer. Des grésillements sortent du corps sans tête, des bribes de mots, des sifflements, les mêmes sons que lorsqu'on cherche une fréquence sur un poste radio. Ces bruits semblent provenir de son ventre. Tout à coup j'entends une voix hurler : « Une maille à l'endroit ! Une maille à l'envers ! Une maille à l'endroit ! Une maille à l'envers !... » J'assiste à une gymnastique écœurante : le corps sans tête se retourne la peau comme s'il s'agissait d'un vêtement réversible ou d'un gant de toilette. Puis la voix accélère la cadence, devient de plus en plus aiguë : « À l'endroit ! À l'envers ! À l'endroit ! À l'envers ! À l'en... », et je me rends compte que c'est la mienne. C'est ma voix, légèrement déformée par l'enregistrement, qui jaillit de ce ventre écarlate.

Je me réveille trempée de sueur, le cœur battant, la bouche sèche, au moment où le diable va si vite pour se retourner les chairs que je ne distingue plus l'endroit de l'envers. Je me lève. J'enfile un pyjama propre et je vais boire un verre d'eau à la cuisine. Ce n'était qu'un cauchemar. Un affreux cauchemar. Tout va bien maintenant. Tout est normal. J'entends

Anatole sucer son pouce de l'autre côté du couloir. Le réverbère de la rue éclaire la fenêtre. Tout va bien. Je rejoins Pierre et mon oreiller ergonomique. Je me glisse dans le lit le plus discrètement possible. Je ferme les yeux en essayant de ne penser à rien. Une demi-heure s'écoule. Je me tourne et me retourne. Impossible de me rendormir. Un détail me tracasse. Je ne parviens pas à être sûre. Est-ce que j'ai éteint la cafetière à la mercerie ? Avant de fermer je vérifie tout, mais le voyant lumineux m'a peut-être paru éteint parce que je ne le regardais pas en face. J'ai un doute. Il se peut que j'aie mal vu. Il se peut que je me sois trompée. Je me pose des questions. Quels sont les effets d'une résistance qui chauffe en permanence ? Est-ce que cela peut provoquer un incendie ? Est-ce que tout pourrait s'embraser ? Toute la rue ? Tout le quartier ? Vanessa et ses chiens ? Les moines de Sainte-Carme ? J'hésite à réveiller Pierre. L'essence de géranium rosat a dû me monter à la tête. J'en mets toujours trop. Une goutte suffit pourtant (les huiles essentielles sont puissantes, chacun le sait). Je retourne l'oreiller. J'imagine le café en train de bouillir dans la verseuse, les grosses bulles au fond du verre se changer au fil des heures en un mince filet carbonisé, puis le fond du pot se briser, éclater en mille morceaux. Je vois le verre gicler dans mes paniers et enflammer le lurex. J'entends le feu crépiter. Les flammes dévorent mon stock, se propagent à une vitesse folle. La rue est une fournaise. Et tout est ma faute. Tout brûle à cause de ma négligence. Est-ce possible ? Pierre, si je le réveille, me répondra d'une voix ensommeillée : « Mais non, Margaret… ne t'inquiète pas, allez, rendors-toi, on verra demain. » Je sais qu'il me dira ça. J'en suis certaine. Et si j'insiste, il s'irritera, se retournera et je me sentirai encore plus seule. Est-ce que j'ai éteint la cafetière ? Impossible de m'en souvenir. Alors je me lève, j'enfile un gilet, je chausse mes bottes, sors dans la cour et démarre ma Lancia. J'allume les phares. La tête humaine affreuse et sanguinolente resurgit. En pensée seulement. Ce serait terrible si elle apparaissait réellement, comme ça d'un coup, contre le mur du garage, illuminée de l'intérieur telle une citrouille d'Halloween. Mais non, rien. Pas de tête. Il est une heure et demie du matin. J'ai les pieds gelés.

C'est étrange une mercerie la nuit. Vraiment très étrange. On a envie d'y mettre le feu. J'AI envie d'y mettre le feu. J'ignore pourquoi cette idée me traverse l'esprit mais c'est bien ce à quoi je pense en avançant au milieu de tous ces accessoires : y mettre le feu. En attendant, j'allume le plafonnier. Je n'ai pas de lampe de poche. Si quelqu'un voit de la lumière à cette heure, que va-t-il penser ? Je me dirige vers le tabouret dans le coin de la pièce. Je m'agenouille à hauteur du bouton marche-arrêt. Il est d'un rouge mat, on ne peut plus mat. Pas la moindre petite lumière à l'intérieur. Ma cafetière est éteinte. J'en étais sûre. Je me tourne vers les étagères, j'attrape le catalogue de canevas. Pour vérifier. Pas de tête coupée entre la corbeille de chatons et la jeune fille à la fenêtre. Pas de tête coupée. Tout va bien. J'éteins. Qu'est-ce que je fiche ici en pleine nuit ? En bottes et en pyjama ? J'ai accroché un lot de fermetures éclair. Tout est par terre. Dans la pénombre, on dirait de grosses chenilles repues, impuissantes, scotchées à la moquette. Des chenilles qui ne se transformeront jamais, qui resteront toute leur vie ce qu'elles sont. J'ai peur. Je regarde sans cesse derrière moi. Je remonte dans ma Lancia. Je roule vite, sans radio, sans musique, j'ai verrouillé les portières. De longs nuages en forme d'os de seiche zèbrent l'horizon. J'ai froid. J'aurais dû mettre des chaussettes.

J'arrive chez moi. Les roues crissent sur l'allée gravillonnée. Je me gare. Je coupe le contact, déverrouille les portières. Clac. La lumière automatique s'allume à mon passage, éclaire des morceaux de pelouse, le tronc des arbres. Je tourne délicatement la clé dans la serrure et referme derrière moi avec le même soin. Je vais voir mes fils. Ils dorment sagement dans leurs petits lits d'enfants. Anatole a le pouce au coin de la bouche. Émilien s'est découvert. Ma maison est silencieuse. La rue est silencieuse, le lotissement. Tout est silencieux. Et tout est là. Je le sais. La nuit me le souffle. Tout est là. Je sens le temps remonter le long de ma moelle épinière, je sens l'épaisseur du mystère. Je comprends plus que jamais à quel point le fil est insaisissable, comme il nous échappe des premiers rangs jusqu'à la fin de l'ouvrage. Je comprends que l'entreprise est désespérée, que le temps fait glisser les mailles hors de l'aiguille à mesure que je m'épuise à les monter. J'ai mal à la tête. Comme une lourdeur. Je vais me coucher. Pierre dort profondément en faisant de petits bruits avec la bouche, des claquements de langue dans le silence. La cafetière était éteinte, bien sûr qu'elle était éteinte.

Ce soir, c'est spaghettis à la bolognaise. À la fin du repas, comme d'habitude, je fais glisser les restes d'Anatole dans la poubelle. Sauf que cette fois la tête est là. Vraiment là. Les pâtes lui sont tombées dessus. Elle se tourne vers moi. Elle me regarde. Je la regarde. Nous nous regardons sans un mot. Je suis soulagée de la voir, même si elle me fait horriblement peur. Je lui souris, même si je suis proche de l'évanouissement. Elle me sourit aussi. Mes lèvres tremblent. Je sens que l'émotion va me submerger. Je sens que je vais pleurer dans la poubelle. Mes larmes vont se mélanger aux spaghettis et à tout le reste. J'inspire longuement et je me dis que ça va aller, que rien n'est grave.

Une larme finit par tomber, une seule, comme une étoile morte. Il est tard. Je retire mon pied de la pédale. Le couvercle se referme, il tombe comme le rideau rouge et lourd des théâtres. Anatole m'appelle. Il a renversé son verre de lait sur la table. Je pose son assiette dans l'évier sur la pile des autres assiettes. Je serre l'éponge. Je ne pense plus à rien. J'ai si peu de grandes occasions. Et tellement de choses à faire.

JOURNAL D'UN EX-POTAMOCHÈRE

Je croyais l'avoir détruit avant de partir. C'est donc que je ne l'ai pas fait. J'ai pensé le faire, mais je ne l'ai pas fait. Étrange, parce que je suis quelqu'un d'extrêmement ordonné. La nuit est tombée. Mes frères ont regagné leur cellule pour quelques heures de repos. Je suis assis à mon petit bureau en bois, face au mur. La lampe de chevet éclaire les dernières pages de mon cahier, celles écrites en mai avant le départ de la communauté pour Saint-François, ces pages dont j'ai un peu honte aujourd'hui. Je n'ai rien écrit depuis. Pas un mot.

Dimanche 1er mai

Cette nuit, une partie du monastère a brûlé. Le feu a pris en bas de la rue puis s'est propagé jusqu'aux bâtiments de l'aile sud. La sirène a retenti. Les pompiers ont frappé à nos portes. Tout le monde est sorti dans un calme relatif. Fort heureusement, nous ne déplorons aucune perte humaine. La rue, principalement composée de commerces, est quasiment déserte la nuit. Hormis une femme et son chien, nous étions les seuls réunis sur la place d'où nous voyions les flammes jaillir du clocher. Les vitraux éclataient sous la chaleur dans un bruit de détonation digne d'un bombardement. Je me souviendrai longtemps de ces explosions, de la fumée noire et de mes quarante frères pieds nus portant tous un pyjama rigoureusement identique au mien (toile de coton, rayures grenat, col officier). L'incendie a ravagé la mercerie, la boulangerie, la librairie et les assurances Joseph H ainsi que l'abbatiale. Notre départ s'en trouve avancé. Nous quittons Sainte-Carme dans deux semaines. Père Alain l'a annoncé au réfectoire. Nous rejoignons nos frères de l'abbaye de Saint-François sur l'île d'Alta, ce qui implique, par mesure de sécurité, que je doive apprendre à nager.

PS : Le feu est semble-t-il parti de la mercerie.

Lundi 2 mai

J'étais invité cet après-midi à m'exprimer à la radio WN. En vertu du fait que je suis le seul moine diplômé de l'enseignement supérieur, c'est à moi que revient cette charge. Je dis charge car je n'y trouve aucun plaisir. Je préférerais que cette mission fût dévolue à un autre, mais on ne discute pas les décisions du père Alain. Le journaliste m'a interrogé sur l'incendie, puis j'ai annoncé notre départ pour l'île d'Alta. L'interview n'a duré que quelques minutes.

Mardi 3 mai

En revenant de la radio, je suis passé par le square Doctavy. Je ne l'ai pas mentionné hier parce que la chose m'embarrasse un peu. C'est toujours ainsi, lorsqu'une pensée, un acte ou un événement me gênent, je ne l'écris que le lendemain. Le jour même, j'en suis incapable.

J'aime m'arrêter dans ce square. Les arbres y sont entourés d'un fin grillage, les fleurs joliment rangées. J'aime m'asseoir sous les hêtres, regarder la statue de la semeuse, m'emplir les yeux de ses sabots ronds et pointus. J'aime l'intérieur de son bras levé, sa chair de pierre, sa main posée sur son front tel un papillon. Je me rassasie de ce corps immobile, doux et froid comme le sol usé des églises, élégant comme une voûte d'ogive. J'en ressens un certain trouble et des picotements partout dans le corps.

Mercredi 4 mai

Aujourd'hui, je colle des saints sur des plaquettes de bois. J'encolle puis je jette une pincée de paillettes dorées et c'est terminé. J'ai fait les G et les O : saint Gault de Concise, saint Galactoire, saint Optat, saint Onuphre et saint Odilon. Cent quatre-vingts plaquettes (dont soixante-douze saint Optat). Mon record.

Jeudi 5 mai

J'ai rêvé de la semeuse. Elle surplombait un parc beaucoup plus vaste que le square Doctavy, je dirais dix fois plus grand. Un troupeau de cerfs y flânait (en fait mes frères du monastère, ils devaient donc être quarante). Frère Siméon, notre cuisinier, était le plus imposant, ses bois éraflaient le ciel lorsqu'il avançait, y laissant par endroits de longues traînées blanches. Moi j'étais un potamochère. On me le signifia (je ne sais plus qui) très clairement en détachant chaque syllabe : po-ta-mo-chère. La voix n'était pas agressive. Elle me renseignait simplement sur mon espèce, mon ordre, sur la manière dont je me situais dans la taxinomie. Toutefois j'ignorais ce qu'était un « potamochère ». Je n'avais jamais entendu ce mot auparavant. Ou je ne m'en souvenais pas, ce qui revenait pratiquement au même. À quoi pouvait ressembler ce que je devinais être un animal ? Il n'y avait nulle part où voir mon reflet dans ce parc, pas un lac, pas une flaque, j'ai pensé curieusement, pas un rétroviseur traînant dans la boue. Je croyais être un cerf comme les autres. Pourquoi étais-je un potamochère ? La semeuse regardait mes frères tourner autour de son socle. Elle leur jetait des grains et des pétales de roses. Comme elle souriait, ses lèvres se craquelaient aux commissures, mais elle restait belle, d'une beauté que rien ne pouvait altérer.

Vendredi 6 mai

Potamochère ? J'ai cherché la signification à la bibliothèque : c'est un sanglier rouge des rivières d'Afrique (en somme un cousin du phacochère). Je ne pensais pas qu'il était possible d'apprendre un mot nouveau au cours d'un rêve. Mais le peut-on vraiment ? Nous ne faisons que répéter ce que nous avons entendu, cela signifie que je l'ai mémorisé puis oublié. Ce mot doit faire partie d'un lexique enfoui qui resurgit la nuit.

Samedi 7 mai

Je prends des cours de natation au centre nautique. J'ai une carte et un code d'accès.

Dimanche 8 mai

Ce matin, j'ai reçu la visite de mes cousins du Val de la Combe. Cet après-midi, j'ai vendu quatre icônes de sainte Bernadette, cinq pots de griottes, six chapelets, trois CD. L'abbatiale calcinée ne semble pas décourager les visiteurs.

Lundi 9 mai

En enfilant mon maillot de bain, je me suis aperçu que je n'avais jamais considéré ma peau dans son intégralité, je veux dire comme une seule et même pièce. Au monastère, je me lave par petits bouts, par territoires séparés : la tête, le tronc, les genoux, les pieds.

Il y a des filles au centre nautique. Le père Alain n'y a pas pensé, par méconnaissance des lieux. Il est vieux. Il croit que les piscines municipales sont comme les bains d'autrefois. Ici, il y a des filles en maillot deux pièces, un distributeur de cigarettes, des sandwichs au poulet. Ici, il y a tout.

Au sujet des filles : aucune ne m'attire en particulier... parce qu'elles m'attirent toutes. Mon Dieu, pardonnez-moi !

Mardi 10 mai

J'ai tremblé en sortant de l'eau. J'étais parcouru de spasmes irrépressibles. Je sentais mon cœur battre dans ma poitrine beaucoup trop fort. On m'a transporté à l'hôpital. Je faisais une crise d'épilepsie, des convulsions, quoi d'autre ? J'étais tout rouge. Mon corps brûlait d'un feu qu'il semblait impossible d'éteindre. On m'a raccompagné au monastère peu avant les vêpres. Les tremblements avaient cessé. Que s'est-il passé ? Je l'ignore. Quel dérangement de mes nerfs ?

Mercredi 11 mai

Aujourd'hui, je colle des saints sur des plaquettes en bois. J'encolle, je jette de la poudre dorée et c'est terminé. Je fais les A et les P : saint Alpais, saint Aubin, sainte Austreberthe, sainte Pétronille, saint Polycarpe, saint Protais, sainte Pudentienne. J'en ai fait cent cinquante (dont soixante sainte Pudentienne).

Je n'ai pas tremblé.

Jeudi 12 mai

Je les vois toutes pareilles, sauf une. Il s'agit de cette jeune femme en tailleur bleu ciel au bord du bassin, souvent assise avec un livre ou qui téléphone, cette jeune femme qui est appelée au micro : « Paul Pik pour Magali. » S'ensuit un message : « Il faut remettre de l'eau dans la piscine », ou bien : « Un poisson non homologué a été repéré à deux mètres de profondeur dans le grand bassin en ligne A7. Attention, il évolue vite, au moment de ce message, il est possible qu'il soit déjà en A8 voire en A9 et pourquoi pas en A10, A11, A12... Merci de le pister. »

Dans le premier cas (remettre de l'eau dans la piscine), je vois Magali aller chercher un petit arrosoir jaune d'un pas serein, dans un coin derrière les bancs. Puis elle s'agenouille au bord de l'eau et d'un geste ample, comme si elle versait du thé à la menthe, elle fait couler le contenu du petit arrosoir jaune dans la piscine. Lorsqu'elle a terminé, elle se relève, ses bas mouillés forment une ombre sous ses genoux.

Dans le second cas (présence d'un poisson non homologué), elle prend une épuisette au manche télescopique et un masque de plongée. Elle s'agenouille au bord du bassin, ajuste son masque, se penche et remue l'épuisette (je ne l'ai jamais vue remonter de poisson). Après cinq minutes, elle secoue la tête, range l'épuisette et le masque dans un coffre en plastique vert et retourne sur sa chaise. Elle porte des chaussures un peu trop pointues à mon goût.

Vendredi 13 mai

J'ai tremblé pendant la messe (que nous célébrons dans la chapelle depuis l'incendie). Mes frères chantaient. Nous chantions tous en chœur : « Venons au

Seigneur, désirons Sa présence, Il vient comme l'aurore, venons au Seigneur qui guérit nos douleurs, Il est l'horizon, Celui qui nous aime… » Devant moi je fixais dans sa loge ouvragée une pleureuse d'albâtre aux longs cheveux tressés. Nous chantions : « Venons au Seigneur, saint est Son nom. » Je contemplais son pied dépassant du drapé, son pied nu. Je tremblais. Je transpirais. Nous chantions : « Seigneur, nous Te supplions, nous T'attendons, Dieu unique, Toi notre espérance, nous T'appelons. » J'étais un porc, sauvage et rouge, se roulant dans sa bauge. Ce pied, je voulais le porter à ma bouche, le malaxer, le pétrir, le coller contre ma joue, et pire. Mon Dieu, pardonnez-moi ! Nous chantions : « Seigneur, nous T'appelons, Toi notre espérance. » J'ai tremblé pendant la messe entière. Mes frères, tout à leurs chants, ne m'ont prêté aucune attention.

Samedi 14 mai

Magali a été appelée au micro : « Paul Pik pour Magali. » C'était le cas du poisson non homologué qui se présentait en G8, mais à l'heure du message, il était peut-être déjà en G9 ou en G10, en G11, voire en G12… bref, le message habituel. Magali s'est levée de son siège (elle lisait une bande dessinée), elle a marché le long de la piscine avec ses chaussures un peu trop pointues à mon goût. Elle s'est agenouillée. Deux ronds mouillés se sont formés sur ses bas couleur chair. Je ne les voyais pas encore (puisqu'elle était à genoux) mais je savais qu'ils seraient là quand elle se relèverait. Elle a agité l'épuisette dans tous les sens puis l'a remontée d'un coup sec. Le poisson était pris au piège. Un poisson brun, l'œil jaune, tout tremblotant contre les mailles. Elle a longé le bassin, l'épuisette télescopique dépliée au maximum comme si elle voulait se tenir le plus loin possible de sa prise. Un homme muni d'un badge s'est approché, a déplacé la chaise sur laquelle elle lisait un instant plus tôt, et ouvert une porte derrière. Magali est entrée dans ce qui devait être une pièce réservée au personnel, tenant des deux mains la longue épuisette au bout de laquelle le poisson brun à l'œil jaune ne bougeait déjà presque plus. Moi, j'allongeais les bras, les ramenais, poussais l'eau sur les côtés, pliais, dépliais les jambes comme une grenouille. Je savais nager.

J'ai reçu les résultats des examens passés à l'hôpital. Ils sont normaux. Sauf un. J'ai trop de globules rouges, ce qui explique les palpitations et les rougeurs sur mon visage, mais pas les tremblements. Les tremblements ne s'expliquent pas. Ils prennent racine dans un endroit de mon corps resté anonyme. Impossible de déterminer s'il s'agit d'un mauvais fonctionnement cérébral ou musculaire. D'une lésion ? D'une mauvaise oxygénation ? D'un sentiment trop vif ? Toutes les hypothèses sont possibles. « On ne sait pas, monsieur, ce qui vous est arrivé. »

PS : J'ai mangé un sandwich au poulet. Je n'avais jamais rien mangé d'aussi bon.

Dimanche 15 mai

Trente-sept visiteurs aujourd'hui. Vendu à la boutique une icône de sainte Pudentienne (penser à en fabriquer moins, cette sainte ne fait plus recette), deux chapelets, deux cartes postales, trois tablettes de chocolat et cinq CD.

Lundi 16 mai

Nous avons passé la journée à préparer le déménagement. Nous quittons Sainte-Carme demain après le déjeuner. Les malles sont prêtes. Quarante et un pyjamas col officier.

Mardi 17 mai, jour de notre départ pour l'île d'Alta.

Je regarde une dernière fois le monastère. La lumière de mai lui confère un air solide et tranquille, presque souverain, alors que toute la toiture est à refaire. Le soleil éclaire pareillement l'abbatiale en cendres, et la rue des Fontaines dont il ne subsiste que le salon pour chiens, miraculeusement épargné. Nous partons.

Saint-François, ce 15 décembre

En sept mois, je n'ai pas eu l'occasion de nager. Pas une seule fois. J'ignore si j'en suis encore capable. J'ai replié la carte du territoire, rembobiné l'étoffe de ma peau : tête, tronc, genoux, pieds.

Chaque mardi, je me rends en ville avec mes frères pour des commissions. Nous prenons le bateau à l'embarcadère. J'observe le lac tout autour, calme, gris comme les paquets de Gauloises de Bernardo (qui nous conduit d'une main de maître).

Il arrive qu'en nous penchant, nous apercevions des poissons. Lorsque nous gagnons la terre ferme, je fais discrètement un détour jusqu'à la boulangerie Vuarin, je m'achète un sandwich au poulet. Chacun ici a ses habitudes que les autres font mine d'ignorer. Je ne tremble plus. Mes palpitations ont cessé. Mes globules rouges ont décru d'eux-mêmes. Le corps a ses régulations, impénétrables. Enfin c'est à peine si je me rappelle le visage de Magali. Bêtement, je me souviens de ses chaussures aux bouts pointus, et des ronds mouillés sous ses genoux quand elle se relevait. Je ne rêve plus de la semeuse. Les statues de pierre, longues tresses ou petits pieds dénudés, ne me tourmentent plus. Je n'écris plus. Je me sens reposé. Parfois, je me dis que c'est comme si j'étais mort. Mais pas tout à fait. Il me reste la beauté des lieux et le poulet avec beaucoup de mayonnaise.

J'ai peur que ce ne soit là l'essentiel.

EN SEPT LETTRES

Il est des choses après lesquelles on ne peut s'empêcher de courir, tout en sachant très bien au fond de soi (et même à la surface) qu'on ne les désire pas. On en désire simplement la quête, la traque. On s'en fait une certaine idée, forcément personnelle, mais si l'on commence à y réfléchir raisonnablement, à tracer des colonnes, à prendre en compte ce que cette chose nous coûtera, ce qu'elle provoquera d'agacements, de contraintes, d'irritations… on finit par hésiter et par renoncer. En apparence seulement, car mystère entre tous les mystères, implacable désir, effroyable stupidité, on se surprend à la vouloir quand même, cette chose, plus que tout au monde, on se surprend, toutes affaires cessantes, à lui courir après, à en être totalement obsédé. Il en va ainsi des enfants, je crois, des femmes, et en ce qui me concerne, des chats.

Je suis sorti dans le jardin sans but précis. Annick était plongée dans ses mots croisés, assise à la table de la cuisine. Ma femme fait preuve d'une grande virtuosité en matière de grille. Alzheimer, ce sera très peu pour elle. Dans vingt ans, je sais qu'elle se souviendra des moindres détails de nos vies, la sienne, la mienne, la nôtre et celle des voisins, grâce à ces cases qu'elle remplit avec dextérité à longueur de journée. Parfois, sa manie cruciverbiste m'exaspère. Mais ai-je vraiment envie qu'elle change ? J'ai aussi mes habitudes.

J'étais donc sorti prendre l'air. Je contemplais le ciel, les nuages lourds de cette fin d'après-midi. Je faisais le tour du propriétaire. J'empruntais l'allée du jardin, remontais le long du grillage jusque derrière la maison. J'inspectais je ne sais trop quoi, mais j'inspectais. Je passais en revue mon territoire : le portail, la cloche contre le mur, les rebords de fenêtres, les bordures de massifs, les volets, les dernières fleurs de novembre, les trois chênes dépouillés de leurs feuilles, la corde à linge sur laquelle demeurait un torchon vert tenu par une pince verte. Je soupirais en constatant cet accordage de couleurs qui ne devait rien au hasard. Ma femme, Annick… mais cela n'avait aucune importance ! Soudain je suspendis ma ronde (et mes ruminations sur les rituels obsessionnels de ma femme), car entre la haie de thuyas et le mur du garage, un petit tas de matière avait capté mon attention : un jeune chat. Plus vraiment un chaton, mais pas encore un chat adulte. Fourrure épaisse rousse flamboyante parsemée de taches blanches. À moins que ce ne fût un chat blanc parsemé de taches rousses ? Mais je préfère les chats roux. Et le roux dominait. Alors oui, ce chat était bel et bien roux. Il demeurait immobile sur son petit derrière, les pattes avant collées comme un chat en porcelaine derrière une vitrine de rombière, entre une danseuse en tutu et un saint-bernard au tonneau. Je trouvais charmant son museau légèrement aplati. Ce chat avait une tête qui me revenait. J'ai pensé : « ce chat a une tête d'intellectuel », ce qui était profondément idiot, mais c'est ce que j'ai pensé à ce moment-là. Il me regardait à la fois intensément et comme si je n'existais pas, d'une manière énigmatique, bref, comme un chat. Nous nous observions l'un l'autre, lui assis entre le mur et la haie, moi debout à quelques mètres, n'osant encore m'approcher. La fascination était totale.

Il avait les yeux presque fermés, deux entrefilets, deux traits obliques qui remontaient. J'apercevais seulement une lueur dorée très claire brillant dans l'interstice. Un chat asiatique ? J'avançai tout doucement. D'abord un pas, puis deux, puis trois. Il ne bougeait pas mais ses yeux s'ouvrirent un peu. Non, ce chat n'était pas nippon. Puis une mobylette est passée, une stupide mobylette trafiquée aussi bruyante qu'un avion, qui l'a fait filer derrière la haie, à travers les champs, les bois. Perdu, le chat.

Le lendemain, je ne le vis pas. Je fis pourtant mon tour dix fois dans la journée. Je soulevai même un pot de fleurs retourné dans l'espoir imbécile de le trouver prisonnier dessous. Ma femme me sembla plus insupportable que jamais.

Le surlendemain, armé d'un bol de croquettes que j'agitais frénétiquement devant moi, je le vis réapparaître, au même endroit, entre les thuyas et le mur du garage. Avec mon appât, je me sentais invincible, victorieux à coup sûr (j'avais même prévu un panier pour le transporter). J'avançais, confiant, mon bol à la main. Il s'est taillé sous les thuyas. Je me suis accroupi, j'ai écarté les branchages. Je le voyais qui me regardait de sa planque, prêt à se sauver par-derrière. Il miaulait. Je miaulais. Nous miaulions tous les deux. Cette contagion des miaulements aurait pu durer longtemps si mon impatience, mon désir croissant de l'attraper n'avait pas tout fait rater. Je fourrai ma main dans la haie. Comme prévu, il déguerpit de l'autre côté, disparaissant dans le champ.

Le jour d'après, j'ai tenté une approche plus subtile, lait et barquette de poisson spéciale jeune chat. Je me professionnalisais dans la traque. Rien à faire. Il est retourné sous les thuyas. Je passais derrière, il sortait par-devant. Je retournais me poster devant, il se carapatait dessous. Ce petit jeu dura jusqu'à ce que je le perde complètement de vue.

Je me mis à déambuler dans le jardin comme une âme en peine. J'étais seul au monde, souffrant d'un affreux sentiment d'abandon. Et j'avais du mal à comprendre : pourquoi étais-je si déterminé à capturer cet animal ? Ne pouvais-je le laisser mener sa vie de chat errant ? Il était clair qu'une fois dans mon panier, j'en serais embarrassé. L'œil morne, je quadrillai mon territoire désormais vide. Dépeuplé. Et puis, alors que je désespérais, voici que je le repérai de nouveau au fond du garage et le coinçai contre le mobilier de jardin, obtenant dans l'instant la confirmation de ce que je savais depuis toujours : je n'aimais pas les chats.

Je détestais sentir sous leur peau de tapis persan le déroulé de chacun de leurs innombrables osselets. Je desserrai l'étreinte, dégoûté. Il décampa aussitôt.

Je restai trois jours sans le voir, pendant lesquels je réfléchis. Pour la capture, j'enfilerais des gants de jardinage. Ensuite, je n'aurais qu'à l'installer dans une caisse. Il y resterait. Moi je ne le toucherais pas. Ma femme s'en chargerait. Telle serait sa mission : le caresser au moins une heure par jour. Si elle rechignait, je la menacerais de brûler ses grilles force 6 dans la cheminée avec le petit bois.

Il est réapparu un matin sous ma Mazda, blotti contre la roue avant gauche. L'idée m'est venue que je devais lui donner un prénom, de préférence japonais. Je me souvenais d'un chat noir et blanc (une précédente tentative) pompeusement baptisé « Maître Okamoto » et finalement confié au fils d'une voisine après une semaine interminable. Comment allais-je nommer celui-ci ? J'optai provisoirement pour « Soumarou » tandis que l'image de ce jeune chat blanc aux yeux d'or – que j'avais écrasé par inadvertance un an plus tôt – me revenait en mémoire. Quel souvenir pénible que ce chat transformé en œuf au plat.

À genoux dans les cailloux et les feuilles mortes, muni d'un gros bâton humide dégotté derrière la haie, je le sommai de sortir de là-dessous. Il sortit. Pour grimper dans le moteur. Je me dépêchai d'aller chercher mes clés et d'ouvrir le capot. Il ne bougeait pas d'un poil, même avec le bâton, assis tel un seigneur sur un morceau de plastique qui formait comme un plateau. J'ai plongé la main (revêtue de mon gant de jardin), l'ai effleuré. Il soufflait, le vilain petit fauve. Puis il a filé, disparu à l'angle de la maison sous le cognassier du Japon. J'ai pensé : « Pourvu qu'il n'aille pas sur la route se faire écraser, ce couillon. »

Ce soir-là, allongé dans le lit à côté de ma femme (gaie comme une grille complétée), je me laissai aller à quelques doux projets… Quand je le retrouverai, quand je l'attraperai… Ce sera MON chat. Je l'établirai dans la chaufferie. J'avais choisi un coussin, prévu d'aménager royalement une vieille valise. J'avais même pensé au collier avec mon numéro de téléphone écrit à l'intérieur. Mais « Soumarou » m'avait échappé. J'étais seul. J'étais vaincu.

Voilà un mois que je ne l'ai pas vu. Je continue cependant de regarder chaque matin sous ma voiture avant d'aller chercher le pain. C'est le même rituel : je pose un vieux tapis sur les cailloux, j'inspecte à l'aide de ma lampe de poche, je prends soin de bien éclairer les roues, puis je range le tapis et la lampe au fond du garage, sur une chaise de jardin. Je m'installe au volant. Je démarre. Et je me dis qu'à la réflexion je l'aurais appelé « Hop » ou « Hopla ». Avec le temps, je suis devenu modeste en termes d'appellation de chat.

Quand je rentre, en général, ma femme fait des mots croisés sur la table de la cuisine. Crayon à papier et gomme sur la toile cirée. Tasse de Ricoré. Nuage de lait.

En 7 lettres (horizontal)

Chat dans le ventilateur d'un moteur : CHARPIE.

LES LIENS DU SANG

Je suis dans le métro. Je le prends deux fois par semaine : le lundi et le jeudi. La rame glisse toute seule. Il n'y a pas de conducteur. Juste un souffle dans un tunnel sombre. Un souffle rempli de gens différents. La fille, là-bas, je voudrais la toucher. Toucher le bout de son nez, ses cheveux soyeux. Toucher ses jambes, le galbe de ses mollets, la pointe de ses talons. Ses pieds. Ses lèvres. C'est interdit. Je ne la regarde plus. J'arrête. Je fais le poisson mort, comme les autres, le rat crevé, la plante verte. Je n'existe plus. Je suis debout mais je suis mort. J'ai vidé mon regard, extrait l'intérieur, le vivant, l'irrigué, le sensible, je l'ai transplanté ailleurs, momentanément.

C'est que nous sommes trop près les uns des autres. La beauté, la laideur, tout se retrouve enferme dans une même capsule, si collé qu'on craint le mélange, l'interpénétration, la formation d'un précipité médiocre. Le métro me persécute. Il y a trop de gens. Je les regarde. Il en arrive encore. Plein l'escalier roulant, plein le quai d'en face : des bras, des jambes, des têtes, des cœurs, des reins. Des humains programmés pour se reproduire, comme les poux, les fourmis, les requins blancs, les amibes ou les éléphants. J'ai mis de la musique dans mes oreilles. Deux rondelles de mousse synthétique pour que le rock m'arrive plein tube. Right and left. Je ne dis rien. Je serre les fesses. Tous mes orifices sont fermés, à l'exception de mes oreilles. J'avance dans les boyaux souterrains. Je me sens léger. Presque bien.

Je vais à l'hôpital pour ma séance de dialyse. Je suis seul, personne ne m'accompagne ni ne me rend visite, sauf ma sœur Karine, le lundi. L'hôpital, ça sent fort. Karine aussi. Je n'ose pas lui dire. Lui dire aussi que je la trouve moche. Nous sommes trop vieux pour ça. Ce sont des choses que l'on dit à cinq ou dix ans en se poussant par terre, pas à trente. Karine ne se maquille pas, ses yeux ressemblent à du blanc d'œuf, parfois ils m'apparaissent exorbités, comme s'ils allaient déborder du coquetier. Elle porte les cheveux courts, des jeans bleu délavé, des vestes sans manches. Elle a un tatouage sur le bras. On dirait qu'elle conduit des camions, qu'elle fait Paris-Stockholm dans la journée, mais non, elle vend des chaussures au sous-sol d'un centre commercial.

Tous les lundis, elle passe une heure à me lire le journal. Je n'ose pas lui dire qu'elle n'a pas besoin de venir, qu'elle m'empêche d'écouter ma musique, que je n'aime pas sa voix traînante par moments, gluante comme ses yeux, comme son ventre qui déborde de sa ceinture de mec. Je n'ose pas lui dire que je suis déjà attaché à trop de tuyaux, trop de trucs plantés dans mes veines qui me font mal, qui me font des bosses sur les bras et honte quand je me balade l'été en T-shirt. Je n'ai pas besoin d'autres entraves. Je n'ai pas besoin d'elle. Pourtant, c'est ma sœur. Elle a poussé dans le même ventre que moi, joué sur le même canapé, les mêmes tapis, mangé dans les mêmes bols, sauté sur les mêmes lits, mais je ne l'aime pas ou alors je ne l'aime plus. Je ne sais pas. Quand elle s'en va, je regarde son dos. En dessous de ses omoplates, j'imagine que je prélève l'un des précieux organes à l'aide d'une cuiller à glace, imprimant à l'ustensile ce mouvement de légère rotation que l'on a pour extraire une boule vanille de sa barquette, en fin de repas.

Lorsque la machine a fini de me détoxiquer le sang, je rentre chez moi. Si je ne suis pas trop fatigué, je reprends le métro. Je regarde les gens qui sont beaux, qui semblent en bonne santé. Cette fille là-bas, je voudrais la toucher. Oh oui, cette fille, je voudrais la toucher. Ses mains aux ongles vernis, son écharpe en laine, la bride de son sac sur son épaule. Son épaule. Je mets de la musique dans mes oreilles. Right and left. De la musique positive, un genre de country pour ne pas sombrer.

Le métro avance tout seul. Moi, je regarde les autres par en dessous. Combien vont mourir dans l'année ? Combien seraient compatibles ? Je ne vois plus les gens, je vois leurs reins, deux haricots suspendus, tout le reste est transparent, des fantômes. C'est la fatigue qui me fait les voir ainsi, les imaginer en planche anatomique. Il n'y a plus d'intérieur ni d'extérieur, de dedans, de dehors, les corps ne sont plus étanches. La machine m'a retourné les sangs. Et la tête avec. Je suis comme fou.

Je ne sais pas comment on peut mourir dans un magasin de chaussures. De la même façon qu'ailleurs, je suppose : par arrêt des échanges. Crise cardiaque foudroyante. Ma sœur est tombée tête la première dans une gondole remplie de bottes en daim à moitié prix. Le médecin légiste précisera qu'elle est morte debout, puis qu'elle est tombée au milieu des bottes en promo, dans un second temps, forcément très rapproché du premier il est vrai, mais dans un second temps tout de même. Pensait-il que cette précision stupide rendrait sa mort plus digne ? Qu'elle adoucirait la douleur de l'avoir perdue aussi brutalement ? Mais quelle douleur ? Je n'en éprouvais aucune. Elle était morte le nez dans des semelles. Et alors ? Tout le monde meurt quelque part. Rien n'annonçait cependant cette fin soudaine, cette mort à petit prix, déclassée, sauf la banderole de la vitrine : « TOUT DOIT DISPARAÎTRE ».

Tout n'avait pas disparu, mais ma sœur, si.

La veille, elle était venue me lire le journal comme d'habitude. Je l'avais trouvée vaguement essoufflée. Le teint un peu plus rouge qu'à l'accoutumée. J'étais reparti en métro. La séance ne m'avait pas trop écœuré.

J'écoutais de la musique classique, complexe et introspective. Right and left. J'allais plutôt bien.

M'aurait-elle donné un rein ? Nous n'en avions jamais parlé, moi caché derrière la machine, elle derrière son journal. Le lundi, c'était « bonjour au revoir », quelques considérations banales, un « comment ça va ? » auquel je répondais invariablement : « Bien. » Nous ne cherchions pas plus loin. Nous étions gênés. Le journal faisait office de paravent. Moi qui regardais tant les autres, je ne la voyais pas. Je l'évitais. Les lundis se succédaient, identiques. Elle se donnait bonne conscience en me rendant visite, je n'osais rien dire de mon indifférence, pire, de mon dégoût.

Bientôt mon corps ne supportera plus la dialyse. La mort de ma sœur, d'une certaine manière, tombe à pic. Des tests sont effectués en urgence, qui concluent à notre incompatibilité. Mon sang me tue, le sien m'assassine. Alors ce soir je ne prends pas le métro. Non, je n'en ai pas la force. Je reste à l'hôpital. C'est arrangé avec l'infirmière.

Mes deux reins capitulent. Right and left.

DES FLEURS TOUTE L'ANNÉE

Une heure déjà que je prends soin des plantes de mon jardin, que je soulève chaque feuille, que je traque le moindre début de flétrissement, le moindre puceron rescapé des pesticides. J'ai glissé un bandeau dans mes cheveux, et placé mon médaillon sous mon corsage pour qu'il ne me gêne pas quand je me penche. Les genoux sur mon coussin de jardinage, je coupe les fleurs fanées, j'ajoute un peu de terreau, une goutte d'engrais, la moitié d'un arrosoir... Marc tient à ce que le jardin soit parfait. Il raffole de toutes ces couleurs : ces orange, ces bleus, ces fuchsia... et de toutes ces fleurs : les violettes dans le bac en pierre, les œillets, les pivoines, le chèvrefeuille... Ça sent bon. Surtout le chèvrefeuille. Derrière le portail, les gens du quartier s'arrêtent pour admirer mes plates-bandes, respirer le magnolia qui déborde sur le trottoir. Ils m'adressent quelques mots à propos de la météo, de la chaleur de ce mois de juin.

Il est 18 heures. J'enlève mes gants. Mes mains

sont moites. J'ai du mal à respirer. J'ai l'impression que mon corps est dur comme du béton, que le sang ne circule plus. Mes oreilles bourdonnent. Je m'agrippe au bac en pierre. Les fleurs se transforment : les violettes sont des ecchymoses, les roses rouges des plaies béantes, les lys des trompettes éclatées d'où sortent des cris blancs que personne n'entend. Je m'assois à même la terre. J'essaye de me calmer. Je me dis que ce n'est pas grave, que ça va passer. Petit à petit je me reprends, je respire mieux, les violettes ne sont plus que des violettes, les roses des roses, les lys des lys. Je me relève. J'essuie mes mains sur mon tablier.

Le soleil s'est caché. Il fait plus frais. J'aperçois Maurice qui traîne, le fils de la boulangerie Janet. Il a une drôle de dégaine, une façon de marcher particulière, les genoux en dedans. Il arpente le quartier en salopette bleue, fait des tours de pâtés de maisons en comptant ses pas sur le rebord des trottoirs. On le dit inoffensif. Je rentre. J'enfile un gilet léger et donne un tour de clés. Marc sera là dans moins d'une heure.

Aujourd'hui, trois de ses collègues sont venus déjeuner, trois hommes aux costumes bien coupés, aux excellentes manières et qui étaient tous enchantés de me connaître. J'ai répondu « de même ». Il me reste à laver les tasses à café, à ranger le sucrier, la boîte de chocolats fins et la bouteille d'alcool de poire. Je vais m'asseoir à la table du salon. Je regarde le jardin par la porte-fenêtre. Et je pleure. Toutes ces fleurs de malheur qui me font courber l'échine, je voudrais les déterrer, les brûler. Ma tête se détraque à nouveau, les mauvaises pensées reviennent. Mon jardin est un cimetière. Je vois des pierres tombales sous les massifs colorés. C'est parce que je suis lasse. Personne n'est enterré là, je le sais bien. Il n'y a rien sous ma terre, que des racines, tout au plus des tessons de bouteille pour tuer les taupes.

Le temps me paraît long, je ne sors pas souvent, seulement une ou deux fois par semaine. Le samedi matin, Marc me conduit au marché et puis il y a mes visites à l'hôpital. L'établissement est tout proche, cinq cents mètres à peine. J'ai la chance de pouvoir m'y rendre à pied.

Bientôt 19 heures. Maurice est parti. Je ne le vois plus sur le trottoir. Je sors une côte de bœuf, plonge quelques pommes de terre dans l'eau bouillante et règle la minuterie sur un quart d'heure. Les tubercules doivent rester fermes sous la dent. C'est comme ça que Marc les aime. Je me recoiffe un peu devant la glace de l'entrée. Je replace sur mon corsage le médaillon qu'il m'a offert, un médaillon en or rehaussé de mon prénom, comme dans les publicités à la dernière page des magazines. Marc, au fond, n'est pas un si mauvais mari. Il a juste des colères. Quand il a bu, il cogne. Après il pleure, il me demande pardon et le lendemain, il m'achète des fleurs, en pot de préférence pour qu'elles durent longtemps.

Les violettes dans le bac en pierre, c'est la luxation de l'épaule, il y a deux ans. Ce jour-là, je me souviens très bien qu'il pleuvait à verse. Le magnolia sur la rue, c'est parce qu'il avait failli m'étrangler, un soir de juin.

Les cœurs de Marie, une lèvre fendue. Les géraniums blancs, une fracture du nez, un matin d'avril, le vent avait arraché plusieurs tuiles. Les impatiens, une dent cassée. Cette fois-là, je n'étais pas allée à l'hôpital. Il n'y avait rien à faire. On verrait plus tard pour un bridge. Les cyclamens de Naples, des ecchymoses sur les bras, une nuit tiède de septembre. Les asters bleus, un décollement de rétine. Les pivoines, un tympan crevé.

J'entends la clé tourner dans la serrure. Marc passe la porte, un rosier rouge dans les mains. Oh, ce n'était pourtant presque rien. Une gifle, peut-être deux. Depuis le temps je ne compte plus. Je suis couverte de fleurs toute l'année.

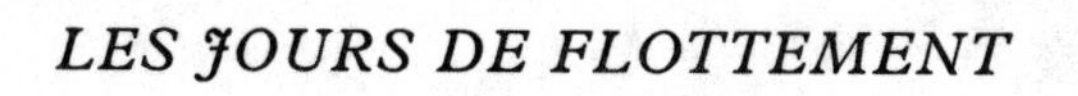

LES JOURS DE FLOTTEMENT

Je voulais écrire une nouvelle histoire. Mais aucun scénario n'émergeait de mon cerveau fatigué, uniquement des fragments, des éclats farfelus d'imaginaire que je ne parvenais pas à relier de façon satisfaisante. Je buvais du thé en arpentant mon bureau, je fumais, portais loin mon regard au-delà des vitres étincelantes, contemplais le ciel... Je tentais de me décontracter au maximum comme si l'inspiration ne pouvait jaillir qu'à l'intérieur d'un corps détendu. Le résultat était désastreux. Je ne voyais que des animaux : un poisson chinois aux voilages de soie qui tournait dans le tambour d'un sèche-linge, une grue japonaise dansant sous la neige, butant sur d'immondes truies avachies, un chat bleu régurgitant des boulettes de nerfs dans les plis d'un rideau de velours... Je sombrais dans un surréalisme collant. Il me fallait autre chose. Un véritable récit qui mettrait en scène, par exemple, un homme et une femme. Une histoire vendable. Je pouvais aussi décrire ma rencontre avec Dieu au-dessus de Mexico, mais ça, je l'avais déjà fait. Je devais me rendre à l'évidence, je n'avais rien, pas le début d'un chapitre. Et comme à chaque fois que l'inspiration manquait, le bestiaire rappliquait... Mon éditeur serait perplexe. Tout de même... un chat, un poisson, une grue, fût-elle japonaise... La lassitude me gagnait. Je désespérais de m'en sortir quand on frappa à la porte de mon bureau. Qui venait me...

— Annabella Zoui, dit-elle en me tendant la main.

— Roger Helm.

Elle entra sans que je l'y invite et se dirigea d'un pas nonchalant vers le sofa (un trois-places orange vif offert par ma femme en vue d'égayer la pièce). Je m'attendais plutôt à ce qu'elle s'y avachisse, mais elle s'assit sur le bord, le buste et la tête très droits. Je remarquai ses seins menus et haut perchés, ainsi que ses escarpins gris dont les talons brillaient comme deux lames.

— Je ne voudrais pas vous importuner, dit-elle.

— Non... bien sûr, mais que puis-je pour vous ? Un autographe ?

— Je ne suis pas venue pour ça.

— Si vous cherchez mes livres...

Cette femme me déstabilisait.

— Je ne suis pas là pour acheter vos livres, ni quoi que ce soit d'autre. Je ne désire plus acheter. Voyez, ce sont mes derniers escarpins, fit-elle en décollant les deux lames de la moquette. J'ai décidé que j'avais assez de chaussures jusqu'à ma mort. Et cette paire-là est très performante.

Elle regarda autour d'elle. Je ne savais pas quoi dire, il ne m'était jamais venu à l'idée que des chaussures pouvaient être performantes. Je ne prévoyais pas non plus de renoncer à en acquérir. Arrêter de fumer, oui. Arrêter de me plaindre, j'y songeais. Arrêter de penser que je voulais un chat, OK. Mais je continuais d'éprouver du plaisir à choisir mes mocassins.

Elle poursuivit :

— L'extrême sobriété de votre intérieur me plaît. C'est si rare de nos jours. À part ce canapé, peut-être. Je n'aime pas beaucoup les couleurs vives. Et vous ?

— Je n'en sais rien, répondis-je. Je n'ai pas d'opinion tranchée en la matière... Je ne voudrais pas vous paraître abrupt mais... vous êtes ici dans un but précis, sans doute ?

— Non. Enfin, pas vraiment. Il est vrai que toute chose a sa raison d'être, n'est-ce pas ? Infime ou essentielle. Je veux dire qu'il y a une intention derrière chacune de nos actions, y compris les plus anodines. Mais je vous ennuie avec ces banalités philosophiques. Je suppose que je ne vous apprends rien.

Je jugeai le « philosophique » de trop. Qui était-elle ? Une admiratrice détraquée ? Je devais bien en compter quelques-unes. Allait-elle se déchausser et me planter ses talons dans le dos ? Des escarpins performants ?

L'inquiétude me gagnait quand ma femme est entrée.

— Toute cette fumée ! Tu devrais aérer un peu,

non ? Je t'apporte des mandarines. Elles sont excellentes cette année.

Clotilde est un ange pour qui il existe des années à mandarines, comme il existe des années à grands vins. J'écopai donc de mandarines millésimées. Annabella Je-ne-sais-plus-quoi avait disparu dans un des renfoncements du mur. Ma femme ne s'était rendu compte de rien (une chance, parce que j'ai horreur des scènes).

Mon bureau comporte quatre loges en béton, fantaisie architecturale dont l'utilité m'échappe, qui me servent de refuge les jours de grand flottement. Je me glisse à l'intérieur, je croise les mains sur ma poitrine, je reste ainsi quelques minutes, immobile, pharaonique, dans un état de prière diffuse, de méditation empreinte de pensée magique. Je me dis que les minutes passées dans ces alvéoles ne me seront pas décomptées, mais reversées à ma dernière heure, un peu comme le temps additionnel au football.

— Tu es un amour, Clotilde.

— Je sais, dit-elle dans un demi-sourire. Au fait, Zoé a téléphoné ce matin. Sa chatte a eu ses petits. Tu peux aller les voir quand tu veux.

Je n'étais pas à l'aise. Si ma femme s'avançait encore, elle allait découvrir ma visiteuse… L'idée de la faire passer pour une journaliste me traversa l'esprit, mais je n'eus pas besoin de mentir, parce que Clotilde retourna très vite à ses occupations. Sitôt la porte refermée, Annabella sortit de son anfractuosité.

— Votre épouse, je suppose ?

— En effet. Maintenant, dites-moi ce que vous voulez.

— J'aimerais une mandarine. Elles ont l'air délicieuses.

— Je suis sérieux. Que cherchez-vous ?

— Puis-je emprunter votre coupe-papier ?

Sans attendre ma réponse, elle s'empara de la lame et choisit une mandarine qu'elle se mit à peler avec une habileté remarquable. Une longue guirlande en spirale se détacha du fruit. Elle reposa le coupe-papier sur mon bureau en verre et forma avec l'écorce une rose délicate. Une rose orange. Puis elle goûta la mandarine.

— Juteuse, légèrement acide, parfaite, dit-elle.

— Ravi qu'elle soit à votre goût, répondis-je.

— J'ai beaucoup aimé le tome I de *Dieu est une star qui dort à Mexico*, poursuivit-elle. Vos calculs interminables pour déterminer l'altitude de la maison du Très Haut, vos conseils pour sauter de l'avion au moment opportun, les politesses d'usage à respecter... En revanche, le tome II m'a déçue. La révélation du chiffre exact nuit à votre propos, l'étrique en quelque sorte, même si je suis persuadée que vous approchez de la vérité en situant la demeure de l'Éternel à 8 953 mètres au-dessus de Mexico. Mais je m'égare, je ne suis pas là pour vous parler de vos livres. Je suis là parce que je vous ai suivi. Et je vous ai suivi parce que je suis comme vous. Je cherche l'inspiration.

— Vous écrivez ?

— Parfois. La plupart du temps, je nage. Écrire n'est pour moi qu'une activité accessoire. L'essentiel a toujours été de maintenir mon corps à la surface de l'eau.

J'avais besoin d'une pause. Je pris une cigarette sur mon bureau, inspirai une première bouffée. Le ciel était bleu comme un feutre d'enfant. J'aurais voulu me retirer dans l'un de mes renfoncements, mais je n'étais pas seul et cette femme était plutôt jolie. Elle n'avait pas l'allure de quelqu'un qui passe son temps à nager. Elle était menue, presque maigre, habillée de blanc et de gris. Ses cheveux ondulés formaient des crans réguliers. Sa poitrine modeste se soulevait un peu quand elle parlait. Elle avait une bouche sans défaut. J'ai toujours regardé attentivement la dentition des gens. Elle ne devait ni fumer ni boire de thé, ses dents étaient parfaitement blanches.

Elle se pencha et me dit d'une voix douce : « Nous accordons trop d'importance à l'histoire, Roger. Revenez aux poissons chinois, revenez à leurs voilages brassés dans le tambour de votre machine. » Ces mots rebondirent dans mon esprit comme une pierre ricoche sur un lac endormi : le tambour de votre machine, le tambour de votre machine, le tambour de votre machine… J'écrasai ma cigarette, lui proposai une autre mandarine, mais elle devait partir.

— Pardonnez-moi, dis-je, je ne me souviens plus de votre nom.

— Cela n'a aucune importance. Je ne pense pas que nous nous reverrons. Je conçois chacune de mes rencontres comme une expérience unique. Revoir les gens équivaut presque toujours à une perte de temps. Tout est dit au premier rendez-vous. Cela peut sembler radical, mais je le crois sincèrement. J'ai été enchantée de bavarder avec vous, Roger.

Un coquillage doré, que je n'avais pas remarqué, était brodé sur le revers de sa manche droite. J'avais pourtant eu l'impression de la détailler de la tête aux pieds. Elle s'est levée, a traversé mon bureau de sa démarche un peu molle, aux enjambées cotonneuses. Cette femme, décidément, ne tenait debout qu'assise. Comment nageait-elle ? Quel était son style, brasse, crawl, papillon ? Et comment savait-elle, pour les poissons chinois ? Je lui ai ouvert la porte sans poser de question. Je l'ai laissée partir. Elle était comme un chat fascinant dont je ne voulais pas. Elle a descendu l'allée droite et nette bordée de massifs géométriques. J'ai continué de fumer. J'ai cherché la mandarine en forme de rose, mais sur mon bureau il n'y avait que du papier et un cendrier plein.

CETTE ANNÉE, JE RENTRE

D'habitude, j'évite de rentrer chez mes parents en février. Je préfère rester avec Rosa. C'est une fille de la cité universitaire. Elle occupe la chambre d'en face. Elle est plutôt jolie, brune, des jambes fines. On a couché ensemble une fois. Et comme ça n'a rien donné et qu'il aurait été idiot de chercher à qui la faute, on n'en a jamais reparlé. Depuis on écoute Massive Attack dans ma chambre et Portishead dans la sienne. On boit du café, on fume sur nos lits, on parle de musique ou de littérature. Pour Noël, je n'ai pas bougé d'ici. J'ai raconté que j'étais avec une fille allergique aux fêtes de fin d'année, que je devais lui tenir la main, sinon elle risquait de sauter par la fenêtre. J'ai précisé que sa chambre était au sixième. J'ai dit qu'elle souffrait d'une sorte de dépression saisonnière que l'exposition sous des lampes halogènes assez puissantes pour faire cuire une vache n'avait pas améliorée.

Cette fois, je rentre. Rosa est partie chez sa sœur et je suis seul avec ma vie sexuelle potentielle qui tient en deux lignes dans mon carnet d'adresses. Je retourne chez moi le temps des vacances scolaires. D'habitude, j'évite février parce que c'est la période où on tue le cochon dans mon village. On ne connaît jamais la date exacte à l'avance, alors c'est le mois complet qu'il faut boycotter. On sait seulement que la mise à mort n'aura pas lieu un dimanche. Le charcutier ne se déplace pas ce jour-là. Dimanche, c'est le jour du Seigneur. Je suis arrivé à la gare vendredi soir vers 19 heures, mon père m'attendait sur le quai. Il a posé la main sur mon épaule, m'a dit : « Tu tombes bien, fiston, demain on tue Jean-Louis. » (Jean-Louis, c'est le cochon.) Je devais aider. Je serais le troisième homme pour tirer sur la corde.

Ce rituel m'a toujours semblé funeste malgré la fête qui s'ensuit. Petit, je me cachais dans les tabliers accrochés derrière la porte de la cuisine, je me bouchais les oreilles pour ne pas entendre les cris de l'animal. Plus grand, j'ai assisté à tout, au sang qui gicle dans le seau en plastique et au manège du charcutier, à genoux sur le thorax du cochon, faisant jaillir les dernières gouttes en tournant la patte avant comme la manivelle d'un moulin à café ou d'un presse-purée. Je n'ai jamais rien pu avaler après, même pas les tartes au sucre de ma tante. Demain, ce sera pareil. Ici, c'est toujours pareil. C'est un pays d'habitudes. Les choses ont leur jour : la lessive le mardi, les courses le vendredi, le bain le samedi. Le pain gît dans la même panière depuis vingt ans, les mêmes cigognes ornent le bord de nos assiettes. Rien ne change. La même pendule octogonale marque les heures au-dessus du buffet.

Fête du cochon ou pas, mon père aime bien quand je rentre. Selon lui, ma mère et ma sœur n'ont pas de conversation, alors il apprécie ma présence. On boit le digestif ensemble (du génépi). Quand il trinque, il dit : « Force et Honneur ! Respect et Robustesse ! Santé et Clairvoyance ! » Je trouve ça confus.

Je me suis défilé au dernier moment. Je ne me voyais pas contraindre Jean-Louis à aller là où il ne voulait pas. J'ai fait sonner mon téléphone et prétexté une conversation de la plus haute importance. Un voisin m'a remplacé. Vers 15 heures, la fête a été interrompue. Le fils du charcutier, un gamin de cinq ou six ans, avait disparu. On l'a cherché pendant une heure. C'est la coiffeuse qui l'a trouvé dans un coin de notre grange. Il comptait les bottes de foin. Son père l'a sacrément engueulé mais il continuait à compter comme s'il n'entendait pas. Drôle de gosse.

Puis il y a eu le concours. Des hommes affublés d'un groin se sont présentés à tour de rôle sur l'estrade montée pour l'occasion. Ils imitaient le cri de la truie, du cochon en rut et celui de l'animal que l'on emmène à l'abattoir. « La mort finale », avait annoncé l'animateur avant de préciser : « Le moment où le cochon est HS. » Les costumes étaient cousus maison. Les prétendants au titre y avaient ajouté des tétines de biberon, de la sauce tomate ou de la boue. Ça rigolait sur les bancs, ça buvait de la bière. C'est mon oncle qui a gagné le premier prix : champion régional du cri du cochon. Sa photo est parue dans le journal le lendemain.

Je suis de nouveau dans le train. Mes cours reprennent lundi. Je rentre à la cité universitaire, avec un bocal de pâté roulé dans mon pyjama et un pot de confiture de cerises de l'année dernière. Et le cri de Jean-Louis dans les oreilles. Ça passera. De l'autre côté du couloir, il y a une fille qui ressemble un peu à Rosa, sauf qu'elle a une petite boule blanche en relief sur l'arête de son nez, comme une perle. Peut-être se rend-elle chez un énième dermatologue. Peut-être que sa perle ne peut pas faire l'objet d'une ablation, qu'elle va au-devant de complications en insistant. « Non, mademoiselle, nous ne prendrons pas le risque, il faudra apprendre à vivre avec. » Je la vois de profil, un très joli profil, un nez de bonne facture légèrement en trompette, un toboggan avec un petit pois dessus qui s'accroche, refuse de glisser, s'incruste. Elle porte un manteau rouge et un pantalon marron évasé en bas, un pull gris à grand col. Elle ferme les yeux. Ses mains sont posées sur son sac du même marron que son pantalon. Elle semble dire : « Ceci est à moi, n'y touchez pas, débarrassez-moi de mon petit pois mais surtout ne touchez à rien d'autre. » Elle a passé la lanière de son sac autour de son poignet pour plus de sécurité. À ma droite, une fille tout en noir téléphone. « Oui, c'est Del, je t'appelle parce que la boutique est fermée la semaine prochaine et comme tu voulais passer... Ça va, toi ? Moi, j'ai une angine. Non, je suis dans le train. On se rappelle plus tard. Ciao. » Elle a sorti une ordonnance de sa poche et des pastilles (qu'elle ne prend pas). Elle se ronge les doigts. Surtout l'index. J'entends deux femmes derrière discuter de formation et de congés. J'ai mis mes écouteurs. Température glaciale dehors, moins 12 degrés ce matin, étangs gelés, soleil pâle. Nous entrons dans un tunnel. Nous sortons du tunnel. La fille à la perle sur le nez a toujours les yeux fermés. Nous longeons un cimetière puis le parc d'un château. Le train file, régulier. Au loin, un pont. Des voitures sur le pont. Le ciel gris. Nous arrivons dans la ville. « Mesdames et messieurs, dans quelques minutes… » La fille au bouton a remis son manteau rouge, la fille en noir ses gants noirs. Les gens descendent leurs sacs des porte-bagages. La fille au manteau rouge a aussi enfilé un bonnet blanc avec une rose en laine sur le côté. Élégance. J'espère qu'elle se rend dans une clinique hyperspécialisée en boutons sur le nez. Un agent passe sur le quai, l'air magistral, le sifflet à la bouche. La chaîne qui en pend, si verticale, oscille à peine. L'agent est un échassier qui a trouvé un bijou par terre et le porte, impassible, jusqu'à son nid de géant, oiseau aux longues pattes grêles flottant dans un gilet fluo.

Pratiquement tous les voyageurs sont descendus du train. Il ne reste qu'une poignée de gens dispersés dans la rame. Le siège de la fille au bouton est vide, d'un vide circonspect, rond et fuyant. Le train redémarre. Nouveau morceau de musique. Parfois, je me dis qu'on devrait réessayer de coucher ensemble, Rosa et moi. Et puis je laisse tomber l'idée. Je ne suis pas le genre de type qui est sûr à cent pour cent de ce qu'il faudrait faire.

« Terminus du train, assurez-vous de n'avoir rien oublié. » Je descends le dernier. Le wagon est désert et personne n'a rien laissé. Pas de téléphone, pas de gants, de papier ni de petit pois tombé. Tous les voyageurs ont emporté toutes leurs affaires.

Quand elle rentrera de chez sa sœur, je lui poserai la question : si elle préfère ma chambre ou la sienne, en somme Massive Attack ou Portishead. Pour un deuxième essai.

À MARDI PROCHAIN

Mon mari est mort il y a deux semaines. À l'enterrement, je n'ai pas pleuré. Je ne me suis appuyée au bras de personne. J'avais envie de courir au bord du lac, de m'asseoir à la terrasse du Palazzo comme tous les samedis. Étrangement, je ne ressentais aucune tristesse. J'aurais dû être accablée de chagrin. Chacun s'attendait à ce que je le sois. Mais ce n'était pas le cas. Et l'idée de m'accrocher au bras de quelqu'un me répugnait. Je marchais en prenant soin de conserver une certaine distance avec les autres, je ne voulais pas qu'on me touche, à peine qu'on me parle. La journée était magnifique, le givre scintillait sur les branches, le soleil brillait, j'avançais d'un pas lent derrière le corbillard. Mes lunettes noires donnaient le change, je crois que personne ne s'est rendu compte de rien. Je crois que les gens ont dit de moi : « Elle reste digne dans la douleur » ou : « Elle est forte », ce genre de sottises. J'étais un peu déçue que tout le monde soit venu. J'aurais voulu que quelqu'un manque à l'appel.

Aux enterrements, il y a toujours des absents, non ? Ils étaient là au grand complet : famille, collaborateurs, journalistes, amis… Un cortège interminable de grises mines derrière un cercueil ultraluxueux, dans lequel Ramus allait lentement se désagréger.

On a murmuré à mon oreille : « Il est parti trop tôt », « C'était un homme respecté » ou encore : « C'est une grande perte pour nous tous. » J'aurais voulu que quelqu'un ne soit pas venu. Je n'ai rien dit. Évidemment, personne n'aurait compris. J'ai gardé mes pensées pour moi seule.

J'ai marché ainsi, sereinement, face au soleil d'hiver, jusqu'à ce que j'entende un cousin de Ramus rapporter que sa tante avait fait installer un téléphone dans le cercueil de son fils, au cas où. Sur le moment, je n'étais pas sûre d'avoir bien compris. Mais quand l'autre a répondu : « Ça se fait de plus en plus, les téléphones intégrés dans les modèles de luxe, personnellement c'est le genre de chose qui me dépasse totalement », il n'y avait plus l'ombre d'un doute et j'ai maudit ma belle-mère pour sa stupidité.

Depuis deux semaines, chaque fois que mon portable vibre, j'ai des sueurs froides. Même si je sais que la probabilité pour qu'il se réveille après avoir été déclaré cliniquement mort et mis six pieds sous terre est proche de zéro, je ne peux pas m'empêcher d'avoir peur. Et s'il m'appelait de son capitonné de satin ? J'imagine des râles, des bruits de suffocation, un cri étranglé ou le crissement de ses ongles contre le couvercle. Visions d'horreur, Ramus mort vivant, venant frapper à ma porte en pleine nuit, décomposé, dégoulinant, un bouquet d'épines dans sa main putréfiée, il me soufflerait : « Je t'ai appelée, chérie, aucune réponse, je t'ai laissé plusieurs messages, tu ne veux plus me voir ? Tu veux couper les ponts, c'est ça ? OK, je ne suis plus très frais mais je t'aime, il n'y a que ça qui compte, n'est-ce pas, bébé ? » Ce téléphone intégré me rend dingue. J'ai reçu plusieurs appels sans personne au bout du fil. Un faux numéro, ou bien c'était lui.

*

Il fait nuit. Le bureau n'est éclairé que par une lampe posée sur la table basse. Christina Stamm me fait face. Elle me regarde intensément comme si je détenais la vérité sur Ramus, sur son couple. Puis elle tourne la tête, fixe la fenêtre. De gros flocons tombent au ralenti. Il doit y avoir au moins dix centimètres de neige.

Certains mardis nous arrivons ensemble, moi de l'hôpital, elle de l'agence de publicité dans laquelle elle travaille comme rédactrice. Je reconnais son pas dans le couloir au chuintement collant de ses chaussures plates sur le sol imitation marbre. J'exerce ici depuis cinq ans, dans cette résidence proche de la gare. Je partage le cabinet avec un confrère. De temps en temps, nous échangeons nos bureaux (l'orientation différente des pièces nous aide à supporter la monotonie des discours, leur éprouvante similitude). Le premier est le plus spacieux, il donne sur le parc. Le second ouvre sur une cour intérieure. C'est celui que j'occupe en ce moment. L'immeuble date des années 60. Au fond du couloir, il reste une ancienne loge de gardien dont la vitre est obturée par un contreplaqué.

Christina Stamm sonne toujours deux coups brefs. Les mardis où nous arrivons en même temps, nous nous serrons la main sur le pas de la porte. Je lui dis : « J'arrive tout de suite. » Elle attend une minute ou deux dans le hall agrémenté de magazines pour la plupart datés, des numéros de *Télérama* et de *Psychologies*. Je viens la chercher à pas feutrés. Je lui dis : « Installez-vous. » Elle semble toujours hésiter, comme si elle s'étonnait d'être là. Elle fait le tour du fauteuil, cherche le meilleur endroit pour poser son sac volumineux, qui tient plus du sac de voyage que du sac à main, elle s'assoit, croise les jambes, regarde dans le vague et se met à parler : « Mes parents étaient pharmaciens. Mais je crois que je vous l'ai déjà dit. Je revois les boîtes blanches empilées, les bacs transparents archipropres, les panneaux suspendus : Rhumes, Douleurs articulaires, Aromathérapie, Produits cosmétiques, Médication familiale… Petite, je les avais appris par cœur. »

Christina ferme les yeux. Elle se tient les mains. À l'intérieur de son sac ouvert, je remarque un objet noir qui dépasse. Je pense à une crosse de revolver. J'ai trop d'imagination.

« J'adorais la pharmacie de mes parents, l'odeur

d'huile essentielle, la lumière des néons, mon père et ses éternels pulls en cachemire, ma mère et ses colliers fantaisie un peu trop voyants. J'adorais entendre le carillon de la porte, regarder les clients entrer et sortir, ce ballet permanent. La plupart des médicaments ont des effets modestes, je le sais aujourd'hui. Mais, à dix ans, je croyais en leur pouvoir magique. Je croyais aux vitamines qui rendent fort, robuste, indestructible, aux comprimés miraculeux, aux remèdes qui soulagent la douleur. Les clients avaient une chance extraordinaire que mes parents existent. Il leur suffisait d'entrer dans notre pharmacie – où il y avait tout – et ils étaient guéris. Mais savez-vous qu'un simple décontractant musculaire peut vous soulever la peau du corps comme une décolleuse à tapisserie ? »

Christina s'arrête quelques secondes puis reprend : « Ramus s'entendait bien avec mes parents. Nous allions déjeuner chez eux chaque fois que son emploi du temps le permettait. Il appréciait la cuisine de ma mère. Maintenant qu'il est mort, je compte espacer mes visites au maximum. Je préfère courir au bord du lac. Et manger des sandwichs. J'ai bientôt cinquante ans et l'impression que plus personne ne compte depuis longtemps, parce que personne ne change et que personne n'écoute, que si peu savent se taire. La fixité des caractères et des points de vue, les bavardages incessants me dépriment, m'usent chaque jour un peu plus, me donnent le sentiment que je perds mon temps. Je me sens seule avec les autres. Alors je préfère l'être réellement. Je préfère courir le long du lac en écoutant la musique que j'aime. Pour le reste je fais semblant, comme tout le monde. Je dis « Bonjour, vous allez bien », ce genre de formule que l'on prononce sans y penser. J'ai rencontré mon mari il y a quinze ans. Ça n'a pas été le coup de foudre, plutôt une suite de petits arrangements, d'inclinations communes plus ou moins essentielles. Mon mari n'était pas un homme attirant, mais il portait des costumes sur mesure et il pouvait virer un tas de gens d'un claquement de doigts. Il n'avait pas besoin d'être beau. Nous étions tous deux passionnés d'art japonais. C'est ce qui nous a rapprochés et aussi le fait que nous ne voulions pas d'enfants. Nous avions décidé que nos lignées s'arrêteraient avec nous. Pas d'enfants. Pas de mélange de nos génotypes. C'était le pacte. Je préférais concevoir des publicités. Il préférait faire fructifier l'argent, le sien et celui des autres. Il ne parlait pas de la mort. Ramus vivait comme s'il n'allait jamais mourir. Il réglait la question de notre finitude par le travail et l'accumulation de biens. Nous changions de voiture tous les six mois. Nous étions si différents sur ce point, moi qui pense à ma fin chaque jour... J'y pense pour ne pas perdre de vue la seule certitude que nous ayons ici-bas. Je regrette d'ailleurs de ne pas avoir tout agencé en fonction de cette perspective, je veux dire depuis le début. J'aurais peut-être donné un autre cours à ma vie. Mon Dieu, mais je vous ai déjà dit tout ça et vous devez entendre ces jérémiades à longueur de journée : j'ai raté ma vie, je voudrais quitter mon mari, je fais des crises d'angoisse, je me sens déprimée aux intersaisons, je ne comprends plus ma fille, mon fils, je trompe ma femme, je déteste ma mère, mon père, est-ce que tout cela vient de moi ? Dites, est-ce que tout cela vient de moi ? Est-ce que je suis normal ? Entre nous, n'en avez-vous pas assez ? Comment supportez-vous tant de plaintes aussi vaines qu'interminables ? Enfin la plupart du temps, parce qu'il doit bien y avoir des exceptions, des victoires, des révélations, non ? Comment faites-vous pour écouter du matin au soir, pour mémoriser la situation de chaque patient : qui fait quoi, qui est seul et qui ne l'est pas, qui a des enfants, qui n'en a pas, qui est sous traitement, qui est psychotique, hystérique, limite, qui bousculer, qui ménager... Vous ne prenez pas de notes ? »

Christina a fini son numéro. Je ne fais aucun commentaire mais je dis : « Revenons-en à vous, Christina, vous voulez bien ? Les autres, on s'en fiche. » C'est la première fois que je l'appelle par son prénom. Je n'appelle jamais mes patients par leur prénom. Mon art réclame le maintien d'une certaine distance, la bonne. C'est ce qu'on m'a appris. Et c'est ce que je crois. Ni trop près ni trop loin, des horaires fixes, un lieu fixe, un cadre thérapeutique.

Christina prend une cigarette. J'en allume une également. Je lui tends mon briquet. Nous sommes assis l'un en face de l'autre. Il ne neige presque plus. Quelques flocons s'obstinent à tourbillonner dans la cour, si légers qu'on dirait qu'ils remontent vers le ciel au lieu de tomber. Je m'avance un peu vers elle. Je distingue à peine le morceau de plastique noir dans la poche intérieure de son sac. Ce n'est certainement pas un revolver. Pourquoi aurait-elle une arme sur elle ? Et pourquoi pas ?

La fumée de nos cigarettes se mélange, des volutes grises se déplacent, flottent au-dessus de mon bureau, voilant le portrait de Freud suspendu au mur. À cet instant, je ne sais plus si le mystère s'épaissit, ou pire, s'il n'existe pas. Christina m'idéalise sans doute. Elle cherche comment rendre le détachement moins déchirant, elle cherche une relation, le minimum de carburant nécessaire pour continuer le chemin, le minimum d'amour de soi. Elle écrase sa cigarette. La séance est terminée. Il est l'heure, quarante-cinq minutes sont passées. Je dis : « Nous allons en rester là pour aujourd'hui. » Elle se lève, règle la séance, enfile son manteau et passe sa longue écharpe autour de son cou. Comme il neige à nouveau, elle a sorti un parapluie noir de son sac. Je la raccompagne. Je lui tends la main, la regarde dans les yeux avec toute la chaleur dont je suis encore capable à cette heure : « À mardi prochain. »

« Oui, à mardi prochain. »

L’auteur remercie Alain Giroud pour son amical soutien.

TABLE DES MATIÈRES